Deutsch als Fremdsprache

Arbeitsheft

Friedrich Clamer / Erhard Heilmann

Übungsgrammatik
für die Grundstufe

Regeln • Listen • Übungen

Verlag Liebaug-Dartmann

Copyright © by Verlag Liebaug-Dartmann
1. Aufl. 1997, 2. Aufl. 1999, Wiesbaum
3. Aufl. 2002, Meckenheim
Druckerei: Carthaus, Bonn
Abbildung S. 156, Otto Schwalge
ISBN 3-922989-19-5

Inhaltsverzeichnis

Vorwort

Der gute Zuspruch, den unsere „Übungsgrammatik für die Mittelstufe" gefunden hat, hat uns bestärkt, nun auch eine „Übungsgrammatik für die Grundstufe" vorzulegen. Für sie gilt das Gleiche wie für die „Mittelstufengrammatik": es handelt sich um Material, d. h. Kurzregeln, Lernlisten, Übungen, das aus der Unterrichtspraxis des Lehrgebiets Deutsch als Fremdsprache und des Studienkollegs für ausländische Studierende an der Universität Münster hervorgegangen ist. Es ist, wie immer in solchen Fällen, unterschiedlichen Ursprungs, speist sich z. T. aus alten, inzwischen auch verschütteten Quellen oder wurde für diese Veröffentlichung neu geschrieben.

In der letzten Zeit sind mehrere Übungsgrammatiken mit ähnlicher Zielsetzung erschienen. Es gibt jedoch einige Punkte, die unser vorgelegtes Buch vor den anderen auszeichnen könnten:

- Mit Hilfe des Verlags ist es gelungen, den Preis niedrig zu halten.
- Das Buch ist benutzerfreundlich konzipiert. Regeln und Übungen stehen fast ausnahmslos auf der gleichen Seite. Die Lösungen der Aufgaben können direkt in das Buch hineingeschrieben werden.
- Der Adressatenkreis ist genau definiert: junge Erwachsene, die Deutsch lernen, um sich auf ein Studium im deutschsprachigen Raum vorzubereiten.
- Noch konsequenter als in der „Mittelstufengrammatik" orientieren wir uns am Modell der Valenzgrammatik, weil wir glauben, dass Deutsch dadurch ein wenig leichter erlernbar wird und etwas von dem Schrecken verliert, eine „so schwere" Sprache zu sein.

Diese „Übungsgrammatik für die Grundstufe" kann im Grammatikunterricht eines Sprachkurses benutzt werden; sie eignet sich auch für Wiederholungszwecke und für Selbstlerner mit Vorkenntnissen. Für den Fall, dass die „Übungsgrammatik" ohne die Anleitung eines Sprachlehrers benutzt werden soll, beachten Sie bitte den Vorschlag zu einer didaktisch sinnvollen Abfolge der Grammatik-Kapitel auf der folgenden Seite.

Allen Kolleginnen und Kollegen, in besonderem Maße Helmut Röller, möchten wir für ihre Anregungen und Hinweise danken.

Münster, im April 1997   Die Autoren

Empfehlung für eine didaktisch sinnvolle Abfolge der Grammatik-Kapitel

(Morphologie und Syntax müssen parallel, nicht hintereinander bearbeitet werden!)

Morphologie	*Syntax*
Präsens	Stellung des Prädikats in Hauptsätzen
	Kongruenz von Subjekt und Prädikat
Deklination der Nominalgruppe	
	Konjunktionen
trennbare / untrennbare Verben	Ergänzungen: Subjekt
Imperativ	„dass"-Sätze (Akk.- und Nom.-Ergänzungen)
Präteritum	Stellung des Prädikats in Nebensätzen
Stammformen	indirekte Fragesätze
Perfekt	
Perfekt der Modalverben	Akkusativ-Ergänzungen
restliche Tempora	Dativ-Ergänzungen
Präpositionen	Situativ- und Direktiv-Ergänzungen
Personalpronomen	
Pronominaladverbien	
Fragewörter / Frageartikel	Angaben
Genitiv-Attribut	Kausalsätze
	Temporalsätze I (wenn, als, während, nachdem)
Possessivartikel / -pronomen	
Adjektiv-Deklination	Präpositional-Ergänzungen
	Adjektive + Ergänzungen
Modalverben	„dass"-Sätze (Präpositional-Ergänzungen)
„lassen"	Infinitivsätze
Reflexivverben	Finalsätze
	Konzessivsätze
Passiv	Konditionalsätze
	Modalsätze
	Konsekutivsätze
Komparation	Relativsätze
	Temporalsätze II (restliche Subjunktionen)
	alle Angabesätze
	satzverbindende Adverbien
	Negation
	Apposition
	irreale Konditionalsätze

1 Das Verb

1.1 Das Präsens

Die meisten Verben bilden das Präsens wie das Verb *lernen*:

lernen (Infinitiv)		Person		Personalpronomen	Stamm + Endung
ich	lerne		1.	ich	lern-	-e
du	lernst	Singular	2.	du	lern-	-st
man	lernt		3.	er / sie / es / man	lern-	-t
wir	lernen		1.	wir	lern-	-en
ihr	lernt	Plural	2.	ihr	lern-	-t
sie	lernen		3.	sie / Sie*	lern-	-en

(* formelle Anrede)

Besondere Präsensformen:

1. *Stammauslaut -t, -d:*   *Stammauslaut Konsonant* + m, n:*
                                            (*nicht l, r*)

ich	arbeite		ich	atme	
du	arbeitest		du	atmest	-est
man	arbeitet		man	atmet	-et
wir	arbeiten		wir	atmen	
ihr	arbeitet		ihr	atmet	-et
sie	arbeiten		sie	atmen	

antworten, beobachten, bilden   begegnen, öffnen, rechnen,
bitten, finden, warten, ...   trocknen, zeichnen, ...

2. *Stammauslaut -s, -ß, -z:*
ich	heiße	
du	heißt	-t
man	heißt	
wir	heißen	
ihr	heißt	
sie	heißen	

beweisen, heizen, reisen, reißen, setzen, sitzen, ...

3. *Stammauslaut -er, -el:*

ich	änd(e)re	-(e)re		ich	sammle	-le
du	änderst			du	sammelst	
man	ändert			man	sammelt	
wir	ändern	-ern		wir	sammeln	-eln
ihr	ändert			ihr	sammelt	
sie	ändern	-ern		sie	sammeln	-eln

dauern, erinnern, verbessern, ...   klingeln, lächeln, ...

4. Bei vielen „starken" Verben: Vokalwechsel in der 2. / 3. Pers. Sing.

	ich	gebe	ich esse,	du isst, man isst
	du	gibst	ich helfe,	du hilfst, man hilft
	man	gibt	ich nehme,	du nimmst, man nimmt
e → i	wir	geben	ich spreche,	du sprichst, man spricht
	ihr	gebt	ich treffe,	du triffst, man trifft
	sie	geben	ich trete,	du trittst, man tritt (ohne e nach -t!)

	ich	lese	ich sehe,	du siehst, man sieht
	du	liest	ich stehle,	du stiehlst, man stiehlt
	man	liest	ich befehle,	du befiehlst, man befiehlt
e → ie	wir	lesen	ich empfehle,	du empfiehlst, man empfiehlt
	ihr	lest	(geschehen)	etwas geschieht
	sie	lesen		

	ich	fahre	ich falle,	du fällst, man fällt
	du	fährst	ich lasse,	du lässt, man lässt
	man	fährt	ich schlafe,	du schläfst, man schläft
a → ä	wir	fahren	ich trage,	du trägst, man trägt
	ihr	fahrt	ich wachse,	du wächst, man wächst
	sie	fahren	ich wasche,	du wäschst, man wäscht

einladen ⎫
halten ⎬ ohne e nach -t, -d! ⎧ du lädst ein, man lädt ein
raten   ⎭   ⎨ du hältst, man hält
                               ⎩ du rätst, man rät

o → ö	stoßen	ich stoße,	du stößt, man stößt
au → äu	laufen	ich laufe,	du läufst, man läuft
	saufen	ich saufe,	du säufst, man säuft

5. Modalverben:

	dürfen	können	müssen	sollen	wollen	(kein Infinitiv!)
ich	darf	kann	muss	soll	will	möchte
du	darfst	kannst	musst	sollst	willst	möchtest
man	darf	kann	muss	soll	will	möchte (ohne -t!)
wir	dürfen	können	müssen	sollen	wollen	möchten
ihr	dürft	könnt	müsst	sollt	wollt	möchtet
sie	dürfen	können	müssen	sollen	wollen	möchten

6. Die Hilfsverben haben, sein, werden und das Verb wissen:

	ich	du	man	wir	ihr	sie
haben:	habe	hast	hat	haben	habt	haben
sein:	bin	bist	ist	sind	seid	sind
werden:	werde	wirst	wird	werden	werdet	werden
wissen:	weiß	weißt	weiß (ohne -t!)	wissen	wisst	wissen

Verbliste zur Präsensbildung:

1. ändern	19. finden	37. lesen	55. sollen
2. antworten	20. fragen	38. machen	56. sprechen
3. arbeiten	21. geben	39. mieten	57. stehlen
4. atmen	22. gehen	40. ich möchte	58. stoßen
5. befehlen	23. geschehen*	41. müssen	59. tragen
6. begegnen	24. haben	42. nehmen	60. treffen
7. beobachten	25. halten	43. öffnen	61. treten / betreten
8. beweisen	26. heißen	44. raten	62. trocknen
9. bilden	27. heizen	45. rechnen	63. verbessern
10. bitten	28. helfen	46. reisen	64. vergessen
11. dauern*	29. klingeln	47. reißen	65. verstehen
12. dürfen	30. kommen	48. sagen	66. warten
13. einladen	31. können	49. sammeln	67. wachsen
14. empfehlen	32. lächeln	50. schlafen	68. waschen
15. erinnern	33. lassen	51. sehen	69. werden
16. essen	34. laufen	52. sein	70. wissen
17. fahren	35. leben	53. setzen	71. wollen
18. fallen	36. lernen	54. sitzen	72. zeichnen

*nur 3. Person (Vorgang!)

1. Benutzen Sie die Verbliste zur Bildung unterschiedlicher Präsensformen und zur Bildung von Sätzen im Präsens!

- **Bilden Sie die 1. und 2. Pers. Sing.!**
  ich ändere   – du änderst
  ich antworte   – du ...

- **Bilden Sie die 3. Pers. Sing. und die 2. Pers. Plur.!**
  man ändert   – ihr ändert
  man antwortet – ihr ...

- **Verändern Sie die Sätze!**
  Ich mache die Pläne. (ändern) → Ich ändere die Pläne.

  Er kauft das Haus. (mieten) → Er

  Schreibst du ein Buch? (lesen) →

  Er arbeitet nicht. (schlafen) →

  Dürft ihr Schinken essen? (wollen) →

  Gehst du zum Bahnhof? (fahren) →

  Das Baby weint. (lächeln) →

  Sie behält alle Namen. (vergessen) →

  Ihr sucht den Schlüssel. (finden) →

  Schließt du die Tür? (öffnen) →

2. Setzen Sie die passenden Verbformen in die Lücken!

1. Im Garten __*beobachten*__ wir die Vögel. (beobachten)

2. Anna _____ gern Schokolade; (essen)

3. Schokolade _____ alle Kinder gern. (essen)

4. _____ du mir bei den Hausaufgaben? (helfen)

5. Wer _____ einen Satz im Präsens? (bilden)

6. Was für ein Buch _____ du gerade? (lesen)

7. Er _____ nicht auf meine Frage. (antworten)

8. _____ du mich morgen bis acht Uhr schlafen? (lassen)

9. Du _____ auf meinem Stuhl! (sitzen)

10. Wir _____ uns auf den Boden. (setzen)

11. Wo _____ ihr eure Wäsche? (trocknen)

12. Er _____ die Tür mit dem Ellbogen. (öffnen)

13. Frau Lie _____ Physik studieren. (wollen)

14. Sie _____ gerade mit dem Professor. (sprechen)

15. Bestimmt _____ Otto, wie man hier ein Zimmer _____.
    (wissen; finden)

16. Wie _____ dein Freund mit Familiennamen? (heißen)

17. Wir _____ heute Abend das Fußballspiel im Fernsehen; (sehen)

18. aber Fritzchen _____ nicht so lange fernsehen. (dürfen)

19. Er _____ schon um acht Uhr zu Bett gehen. (müssen)

20. Wann _____ ihr zu Bett? (gehen)

21. _____ du auf dem Sofa oder im Bett? (schlafen)

22. Wie _____ du dein Zimmer? Mit Gas oder mit Öl? (heizen)

23. Hilfe, ein Dieb _____ mein Fahrrad! (stehlen)

24. _____ ihr den Kerl da drüben? (sehen)

25. Jetzt _____ er mit meinem Rad weg! (fahren)

26. Niemand _____ ihn fest. (halten)

27. Ich _____ hinter ihm her. (laufen)

3. Setzen Sie die passenden Verbformen ein!

1. Ich lerne Deutsch. – Welche Sprache ___*lernst*___ du?

2. Ich spreche drei Sprachen. – Wie viele Sprachen _____ Fatma?

3. Ich fahre in den Ferien nach Berlin. – Wohin _____ du?

4. Ich sammle Briefmarken. – Was _____ ihr?

5. Ich lese gern Kriminalromane. – Was _____ du gern?

6. Ich setze mich in die 3. Reihe. – Wohin _____ du dich?

7. Ich feiere heute meinen Geburtstag. – Wann _____ Paula ihren Geburtstag?

8. Ich empfehle immer das „Schlosshotel". – Welches Hotel _____ du?

9. Ich trage Sandalen. – Was für Schuhe _____ dein Bruder?

10. Ich kaufe mein Brot im Supermarkt. – Wo _____ du dein Brot?

11. Ich treffe meine Freunde im Café. – Wo _____ Eva ihre Freundinnen?

12. Ich arbeite am liebsten am Morgen. – Wann _____ du am liebsten?

13. Ich wasche meine Wäsche mit TURSIL. – Womit _____ Familie Fischer ihre Wäsche?

14. Ich bitte meine Eltern um Hilfe. – Wen _____ du um Hilfe?

15. Ich esse morgens Brötchen mit Honig. – Was _____ du morgens?

16. Ich heiße Maria Schulte. – Wie _____ du?

17. Ich laufe 100 Meter in 14 Sekunden. – Wie schnell _____ der Weltmeister?

18. Ich sitze im Kino am liebsten hinten. – Wo _____ du am liebsten?

19. Ich schlafe meistens nur sieben Stunden. – Wie lange _____ du?

20. Ich finde Münster schön. – Wie _____ ihr die Stadt?

21. Ich rechne die Aufgaben mit einem Taschenrechner. – Wie _____ Peter die Aufgaben?

22. Ich vergesse Ediths Telefonnummer immer wieder. – Wieso _____ sie meine Telefonnummer nicht?

23. Ich dusche gern kalt. – Wie _____ du am liebsten?

24. Ich erinnere mich gut an unseren alten Chef. – _____ er sich auch an mich?

25. Ich lasse meinen Wagen an der Tankstelle waschen. – Wo _____ du deinen Wagen waschen?

4. Setzen Sie die passenden Personalformen in die Lücken!

1. Wir *haben* eine Mietwohnung, aber unser Kollege ___*hat*___ ein eigenes Haus.

2. Wir *können* dir nicht helfen, aber vielleicht _____ dein Bruder dir helfen.

3. Wir *wissen* nichts von Peter, aber vielleicht _____ sein Vater etwas.

4. Ich *erhalte* oft Post, aber Petra _____ nie einen Brief.

5. Die meisten Freunde von Paul *werden* Lehrer, aber Paul _____ Schauspieler.

6. Wir *heizen* unsere Wohnung mit Gas, aber unser Nachbar _____ mit Strom.

7. Wir *laden* unseren Kollegen zu uns nach Hause ein und er _____ uns in sein Ferienhaus ein.

8. Die Kinder *dürfen* den kranken Vater nicht im Krankenhaus besuchen, aber die Mutter _____ es.

9. Wir *müssen* Steuern zahlen; jeder Staatsbürger _____ Steuern zahlen.

10. Wir *nehmen* immer Rücksicht auf unseren Nachbarn, aber er _____ keine Rücksicht auf uns.

11. Die Lehmanns *wollen* im Sommer an die See fahren, aber ihre Tochter _____ nicht mitkommen.

12. Die Kinder *möchten* gerne mit dem Großvater ins Kino gehen, aber er _____ lieber zu Hause bleiben.

13. Ich *helfe* meinem Nachbarn oft, aber er _____ mir nie.

14. Wir *essen* keinen Fisch, aber Familie Heitmann _____ gerne Fisch.

15. *Sollen* wir auf dich warten oder _____ Petra dich abholen?

5. Setzen Sie die Verben vom Rand als Personalformen in die Lücken ein!

Anfangsschwierigkeiten

Peter _trifft_ Otto am Theater; der _____ schon	treffen; laufen
seit drei Tagen in der Stadt herum und _____	finden
kein Zimmer. Peter _____ in einem Studenten-	wohnen
wohnheim. Er _____ Otto mit nach Hause. Pe-	(mit)nehmen
ter _____ die Tür und _____: „So, da	öffnen; sagen
_____ wir! Du _____ dich am besten	sein; setzen
auf die Couch." Peter _____ Kaffee; er	kochen
_____ Otto: „ _____ du auch ein	fragen; essen
Brötchen?" „Ja, gern", _____ Otto; er	antworten
_____ müde aus. Peter _____ lange	(aus)sehen; sprechen
mit seinem Freund; dann _____ er ihn ein: „Du	(ein)laden
_____ zuerst einmal hier auf der Couch!" „Dan-	schlafen
ke", _____ Otto, „deine Einladung	sagen
_____ mir sehr!"	helfen
Otto _____ noch viele Fragen:	stellen
„Wo _____ du? – Wo _____ man sich? –	schlafen; waschen
Wie lange _____ man zur Universität? – Wie	fahren
_____ man schnell ein Zimmer? – Was	finden
_____ du mir? – _____ du mir beim	raten; helfen
Suchen? _____ du die Telefonnummer vom Stu-	wissen
dentenwerk?"	
Peter _____ die Fragen und _____:	beantworten; sagen
„Vielleicht _____ es bald ein Zimmer für dich	geben (es)
im Studentenheim!"	
Dann _____ sie zusammen zur Bushaltestelle	gehen
und _____ auf den Bus zur Universität.	warten

6. Setzen Sie die Verben vom Rand als Personalformen in die Lücken ein!

Herr Krüger _arbeitet_ in einem Büro. Bei schönem — arbeiten

Wetter _____ er zur Arbeit, bei Regen _____ — laufen; fahren

er mit dem Auto. Heute _____ es. „Ich — regnen

_____ Geld", _____ seine Frau, — brauchen; sagen

„_____ du bitte zur Bank und _____ — gehen; holen

300 Mark?" „Was? Du _____ kein Geld mehr?", — haben

_____ Herr Krüger. „Nein! Ich _____ — antworten; kaufen

Lebensmittel für uns, du _____ täglich 20 Zi- — rauchen

garetten und die Kinder _____ CDs und Zeit- — kaufen

schriften. Außerdem _____ die Preise dauernd. — steigen

_____ du denn keine Zeitung?" „Na schön", — lesen

_____ Herr Krüger, „aber vor der Bank — sagen

_____ man nur schwer einen Parkplatz — finden

und im Halteverbot _____ ich nicht; da — parken

_____ nämlich gleich die Polizei und — kommen

man _____ 20 Mark Strafe!" Frau Krü- — zahlen

ger _____ sich über ihren Mann. „Dann — (sich) ärgern

_____ ich eben selbst zur Bank", _____ — gehen; sagen

sie und _____ die Tür. Auch Herr Krüger — schließen

_____ ärgerlich, denn jetzt _____ er zu — sein; kommen

spät zur Arbeit. Er _____ sich ins Auto und — (sich) setzen

_____ schnell zu seinem Büro. — fahren

1.2 Trennbare / untrennbare Verben

1. Verben mit den Präfixen (Vorsilben)

> **be-, emp-, ent-, er-, ge-, hinter-, miss-, ver-, zer-**

sind immer **untrennbar**.
Diese Präfixe sind immer *unbetont*.

bezahlen:	Er bezahlt das Brot.
empfehlen:	Der Lehrer empfiehlt das Buch.
entdecken:	Kolumbus entdeckte Amerika.
erzählen:	Die Großmutter erzählt eine Geschichte.
gehören:	Das Buch gehört mir.
hinterlassen:	Hinterlass mir bitte eine Nachricht!
misslingen:	Hoffentlich misslingt der Versuch nicht.
verkaufen:	Er verkaufte seinen Wagen.
zerreißen:	Sie zerreißt den Brief ihres Freundes.

2. Verben mit den Präfixen

> **durch-, über-, um-, unter-, wieder-, wider-**

sind **trennbar**, wenn das Präfix *betont* ist,
oder **untrennbar**, wenn das Präfix *unbetont* ist.

durch-:	Die Polizei durchsúcht das Auto.	Der Faden reißt dúrch.
über-:	Ich übersétze den Text.	Die Milch kocht über.
um-:	Wir umfáhren die Stadt.	Das Auto fährt den Mann úm.
unter-:	Der Arzt untersúcht ihn.	Die Sonne geht únter
wieder-:	Ihr wiederhólt den Satz.	Er holt den Ball wíeder.
wider:	Sie hat ihm widerspróchen	Der See spiegelt den Himmel wíder.

3. Verben mit allen anderen Präfixen, wie z. B.

> **ab-, an-, auf-, aus-, ...**
> **ein-, empor-, vorbei-, zurück-, ...**
> **fest-, frei-, hoch-, ...**

sind immer **trennbar**.
Diese Präfixe sind immer *betont*.

abfahren:	Der Bus fährt gleich ab.
ankommen:	Der Zug kommt um 12.34 Uhr in Münster an.
einstellen:	Die Firma stellt 20 neue Arbeiter ein.
zurückgeben:	Sie gab mir gestern das Buch zurück.
feststellen:	Die Ärztin stellte bei mir eine Erkältung fest.
freihalten:	Er hält ihm einen Platz in der Mensa frei.

7. *Bilden Sie Sätze!*

  1. Der Zug / um 10 Uhr / in Münster / <u>ankommen</u>.
    → *Der Zug kommt um 10 Uhr in Münster an.*

  2. Die Studenten aus Italien / bald wieder / <u>heimfahren</u>.
    →

  3. Die Lehrerin / alle Infinitive des Textes / <u>unterstreichen</u>.
    →

  4. Der Student / auf alle Fragen des Professors / <u>antworten</u>.
    →

  5. Die Mutter / ihren Kindern / jeden Abend / eine Geschichte / <u>erzählen</u>.
    →

  6. Der Politiker / die Fragen der Journalisten / <u>beantworten</u>.
    →

  7. Die Freunde / nach langer Zeit / <u>sich</u> <u>wiedersehen</u>.
    →

  8. Die Studenten / über die Mieterhöhung / <u>diskutieren</u>.
    →

  9. Die Flasche / Bier / <u>enthalten</u>.
    →

10. Die Studentin / den Text / <u>durchlesen</u>.
    →

11. Sonntags / die ganze Familie / <u>spazieren gehen</u>.
    →

12. Die deutsche Regierung / den französischen Präsidenten / <u>einladen</u>.
    →

13. Der Fußgänger / die Straße / <u>überqueren</u>.
    →

14. Der Arzt / den Patienten / <u>behandeln</u>.
    →

15. Am Abend / die Sonne / im Nordwesten / <u>untergehen</u>.
    →

16. Die Familie / eine Ferienreise / <u>unternehmen</u>.
    →

17. Der Lehrer / das falsche Wort / <u>durchstreichen</u>.
    →

18. Vor Betreten des Zimmers / man / <u>anklopfen</u>.
    →

19. Die Ärztin / das kranke Kind / gründlich / <u>untersuchen</u>.
    →

20. Am Wochenende / ich / in einem Schnellrestaurant / <u>arbeiten</u>.
    →

8. *Setzen Sie das Verb vom Rand als Prädikat in den Satz ein!*

1. Der Unterricht __*beginnt*__ um acht Uhr ____⁄____ .   beginnen

2. Der Lehrer _____ den Raum _____.   betreten

3. Er _____: „Guten Morgen!   sagen

4. Wir _____ gleich mit einer Übung _____.“   anfangen

5. Er _____ Zettel mit einem Text _____   verteilen

6. und _____ einen Studenten zum Lesen _____.   auffordern

7. Herr Wong _____ den Text ohne Fehler _____.   vorlesen

8. Alle _____ ihm aufmerksam _____.   zuhören

9. Eine Studentin _____ nach der Bedeutung eines Wortes.   fragen

10. Der Lehrer _____ es ihr _____.   erklären

11. Dann _____ die Studenten die Sätze _____.   umformen

12. Aus Aussagesätzen _____ Fragesätze _____.   entstehen

13. Sie _____ auch die Verben _____: untersuchen

14. Man _____ trennbare und untrennbare _____.   unterscheiden

15. Manche Studenten _____ nicht alle „starken“ Verben _____.   erkennen

16. Ein Student _____ _____ über die vielen grammatischen Begriffe _____.   sich beklagen

17. „Wir _____ _____ mit Grammatik _____, denn   sich beschäftigen

    sie _____ uns das Lernen einer Fremdsprache   erleichtern

    _____“,

18. _____ der Lehrer _____.   antworten

19. Dann _____ er die Tafel _____ und   abwischen

20. _____ die Hausaufgabe _____.   anschreiben

21. Die Studenten _____ sie von der Tafel _____.   abschreiben

    Die erste Unterrichtsstunde ist zu Ende.

22. Alle _____ den Raum _____;   verlassen

23. einige _____ sich eine Zigarette _____.   anzünden

9. Setzen Sie die Modalverben ein!

 1. Herr Wong ____*will*____ sich zum Sprachkurs anmelden.   wollen

 2. Ich _____ dir das Buch morgen wiederbringen.   können

 3. Der Lehrer _____ die Aufgaben erklären.   werden

 4. Manche Sätze _____ man missverstehen.   können

 5. Ich _____ meinen Freund anrufen.   müssen

 6. _____ ihr eure Deutschkenntnisse verbessern?   wollen

 7. Wer fehlt, _____ sich entschuldigen.   müssen

 8. Ich _____ diesen Monat meine Miete nicht bezahlen.   können

 9. Wie lange _____ ihr morgen arbeiten?   müssen

10. Jetzt _____ Fritzchen fernsehen.   dürfen

11. Welches Restaurant _____ du uns empfehlen?   können

12. Ida _____ aus ihrem Zimmer ausziehen.   müssen

13. _____ du uns nach Dortmund mitnehmen?   können

14. Anna _____ mit dem Vorlesen anfangen!   sollen

15. Die beiden Züge _____ sich in Kassel begegnen.   werden

16. Wir _____ uns eine Antwort auf die Frage überlegen.   wollen

17. Auch Otto _____ darüber nachdenken.   sollen

18. Das Licht _____ Sie ausschalten, wenn Sie weggehen.   müssen

19. Du _____ besser übersetzen als der Lehrer.   können

20. _____ du nicht auf meine Frage antworten?   möchte

21. Man _____ seinen Worten misstrauen.   müssen

22. Studierende _____ den Kurs einmal wiederholen.   dürfen

23. Wer _____ die Gäste empfangen?   sollen

24. Am 21. März _____ die Sonne um sechs Uhr aufgehen.   werden

25. _____ Frau Lie an der Prüfung teilnehmen?   wollen

10. Lassen Sie die Modalverben weg!
 1. *Herr Wong meldet sich zum Sprachkurs an.*
 2. ...
 3. ...

11. Setzen Sie die Prädikate ein!

1. Frau Meier _betritt_ das Flughafengebäude in Hamburg. | betreten
2. Am Flughafenschalter _____ sie das Ticket _____. | vorzeigen
3. Dann _____ sie den Koffer _____. | abgeben
4. Sie _____ die Aktentasche _____. | behalten
5. Danach _____ sie in den Warteraum _____. | hineingehen
6. Vor dem Warteraum _____ ein Polizist die Aktentasche _____. | durchsuchen
7. Dann _____ er den Mantel von Frau Meier ____. | kontrollieren
8. Im Warteraum _____ sich Frau Meier _____. | (sich) hinsetzen
9. Bald _____ man den Flug von Frau Meier _____. | aufrufen
10. Frau Meier _____ das Flugzeug um 8.30 Uhr ____. | besteigen
11. Um 8.40 Uhr _____ das Flugzeug _____. | abfliegen
12. Es _____ um 9.50 Uhr in München _____. | ankommen
13. Nach der Landung _____ Frau Meier das Flugzeug _____. | verlassen
14. Sie _____ die Halle im Flughafengebäude _____ und _____ sich am Gepäckband _____. | betreten / (sich) aufstellen
15. Bald _____ das Gepäck an den Passagieren _____. | vorbeifahren
16. Frau Meier _____ ihren Koffer _____. | herunternehmen
17. Um 10.05 Uhr _____ sie aus dem Flughafengebäude _____. | herauskommen
18. Sie _____ in ein Taxi _____. | einsteigen
19. Sofort _____ das Taxi _____ und _____ sie in die Innenstadt. | abfahren / bringen
20. Vor einem Hochhaus _____ das Taxi _____. | anhalten
21. Frau Meier _____ und _____. | bezahlen; aussteigen
22. Dann _____ sie das Gebäude _____. | betreten
23. Sie _____ sich bei ihren Geschäftspartnern _____ und _____ ein paar Minuten. | (sich) anmelden / warten
24. Schließlich _____ sie _____ und _____ mit ihnen über einen wichtigen Exportauftrag _____. | hineingehen / verhandeln

1.3 Der Imperativ

informell			formell
Sing.	**Plur.**		**Sing. u. Plur.**
Lern!	Lernt!		Lernen Sie!
Komm!	Kommt!		Kommen Sie!
Setz dich!	Setzt euch!		Setzen Sie sich!
Steh auf!	Steht auf!		Stehen Sie auf!

- Man verwendet den Imperativ für Aufforderungen und Bitten.
- Für Personen, die man duzt, verwendet man den informellen Imperativ. Der informelle Imperativ hat normalerweise kein Subjekt.
- Für Personen, die man siezt, verwendet man den formellen Imperativ. Der formelle Imperativ hat immer das Subjekt „Sie".
- Reflexivpronomen und Präfixe trennbarer Verben stehen hinter dem Imperativ.

Besondere Imperativformen:

1. *Stammauslaut -t, -d; Stammauslaut Konsonant* + m, n:*

   (*nicht l, r)

Antworte!		Antwortet!	
Rede!	-e	Redet!	-et
Atme!		Atmet!	
Öffne!		Öffnet!	

2. *Verben auf -igen; -eln und -ern:*

Entschuldige!	
Erkundige dich!	-e
Handle!	
Erinn(e)re dich!	

3. *„Starke" Verben mit „e" als Stammvokal:*

(essen)	Iss!	e → i
(nehmen)	Nimm!	
(lesen)	Lies!	e → ie
(sehen)	Sieh!	

4. *Das Verb „sein":*

Sei vorsichtig!	Seid vorsichtig!		Seien Sie vorsichtig!

12. Müllers haben 3 Kinder: Lisa, Fritz und Elke. Was sagen die Eltern,

1. wenn Lisa sich kämmen soll? – *Lisa, bitte kämm dich!*

2. wenn Fritz sich waschen soll? – *Fritz, bitte* ....

3. wenn die Kinder kommen sollen? – ....

4. wenn sie zu Bett gehen sollen? – ....

5. wenn sie aufstehen sollen? – ....

6. wenn Elke abwaschen soll? – ....

7. wenn Fritz die Teller abtrocknen soll? – ....

8. wenn Elke und Fritz die Hausaufgaben machen sollen? – ....

9. wenn Lisa den Fernseher ausschalten soll? – ....

10. wenn Fritz die alten Zeitungen wegwerfen soll? – ....

11. wenn Elke Milch holen soll? – ....

12. wenn sie auch Butter mitbringen soll? – ....

13. wenn Fritz ein bisschen schöner schreiben soll? ....

14. wenn Lisa sich beruhigen soll? – ....

15. wenn die Kinder leise sein sollen? – ....

13. Ich bin beim Arzt. Was sagt er zu mir, wenn er möchte,

1. dass ich den Mund öffne? – *Öffnen Sie bitte den Mund!*

2. dass ich die Zunge zeige? – ....

3. dass ich „Aaaaa" sage? – ....

4. dass ich den Oberkörper freimache? – ....

5. dass ich die Arme hebe? – ....

6. dass ich mich umdrehe? – ....

7. dass ich tief einatme? – ....

8. dass ich den Atem anhalte? – ....

9. dass ich die Schuhe ausziehe? – ....

10. dass ich mich auf die Liege lege? – ....

11. dass ich mich auf die Waage stelle? – ....

12. dass ich keinen Alkohol mehr trinke? – ....

13. dass ich täglich drei Tabletten nehme? – ....

14. Setzen Sie die passenden Imperative ein! *(Beachten Sie auch Übung 15!)*

Bei einem Stadtbummel kann man viel sehen. Pedro sagt zu

seinem Freund Robert: „____*Schau*____ 'mal! Hier gibt es tolle   schauen

Schuhe." Wenig später ruft er _____ doch 'mal   sehen

Hier sind schicke Lederwesten

Pedro bleibt vor jedem Schaufenster stehen   Robert wird

ungeduldig und sagt _____ doch nicht überall ste-   bleiben

hen _____ ein bisschen schneller Wir wollen doch   kommen

noch ins Café gehen

Im Café sagt Robert zu Pedro _____ mir einen   bestellen

Kaffee und ein Schinkenbrötchen   Ich gehe noch schnell in

den Tabakladen da drüben und hole mir Zigaretten

Hier sagt Pedro _____ das Geld nicht   vergessen

_____ dein Portemonnaie _____   mitnehmen

Der Kellner kommt und fragt   Was darf ich Ihnen bringen

Pedro antwortet _____ bitte zwei Tassen Kaffee   bringen

und zwei Schinkenbrötchen

Nach fünf Minuten kommt Robert wieder   Er hat Monika

und Elisabeth getroffen und bringt sie mit ins Café

Er sagt zu den Studentinnen _____ zu uns und   sich setzen

_____ einen Kaffee mit uns _____ 'mal   trinken; erzählen

was ihr in den Ferien gemacht habt

15. Setzen Sie passende Satzzeichen in die obige Übung ein!

.	der Punkt:	Robert kauft Zigaretten.
,	das Komma:	Robert kauft Zigaretten, während Pedro im Café sitzt.
;	das Semikolon:	Robert kauft Zigaretten; der Laden ist neben dem Café.
:	der Doppelpunkt:	Es sind vier Personen: Lisa, Monika, Pedro und Robert.
?	das Fragezeichen:	Was soll ich bestellen?
!	das Ausrufezeichen:	Für mich einen Kaffee bitte!
„..."	die Anführungszeichen:	Robert sagt: „Bestell mir auch einen Kaffee!"

1.4 Reflexiver Gebrauch der Verben

1.4.1 Verben, die reflexiv verwendet werden <u>können</u> (fakultativ reflexiv):

nicht-reflexiver Gebrauch   reflexiver Gebrauch

   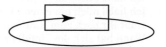

<u>Ich</u> wasche *mein Auto.*   <u>Ich</u> wasche **mich**.
Durch Rauchen schadest <u>du</u> *deiner*   Durch Rauchen schadest <u>du</u> **dir selbst**.
Familie.

- Wenn das Subjekt und ein anderes Satzglied dieselbe Person oder Sache bezeichnen, benutzt man das Reflexivpronomen (oft zusammen mit „selbst").
- Formen: <u>Akk.</u> <u>Dat.</u>

Sg. { **mich mir**
     dich dir

     sich }

Pl. { **uns**
     euch
     sich }

1. Reflexivpronomen im Akkusativ:

Soll ich dich kämmen?   Nein, ich kämme **mich selbst**.
Wann meldest du dein Radio an?   Hast du **dich** schon angemeldet?
Maria betrachtet Fotos.   Maria betrachtet **sich** im Spiegel.
Zuerst wusch er sein Auto,   dann wusch er **sich selbst**.
Die Heizung erwärmte die Luft.   Langsam erwärmte **sich** das Zimmer.
Wir legen die Kinder ins Bett.   Wir legen **uns** auch ins Bett.
Otto hat euch nicht entschuldigt.   Habt ihr **euch selbst** entschuldigt?
Viele Leute denken nicht an die anderen; sie denken nur an **sich**.

2. Reflexivpronomen im Dativ:

Wenn andere mir nicht helfen können,   muss ich **mir selbst** helfen.
Wer hat dir das Kochen beigebracht?   Hast du **dir** das Kochen **selbst** beigebracht?*

Er hat seinen Kindern Eis bestellt.   Er hat **sich** einen Kaffee bestellt.*
Wir kochen dem Kranken eine Milch-   Wir kochen **uns** eine Zwiebelsuppe.*
suppe.
Ihr habt euren Kindern schöne Schuhe   Warum kauft ihr **euch** nicht auch sol-
gekauft.   che Schuhe?*
Sie sollten sich mit anderen Dingen   Sie sollten sich nicht mit **sich selbst** be-
beschäftigen.   schäftigen.

---

* Wenn es im Satz schon eine Akkusativ-Ergänzung gibt, steht das Reflexivpronomen im Dativ.

1.4.2 Verben, die <u>nur</u> reflexiv verwendet werden (obligatorisch reflexiv):

1. Reflexivpronomen im Akkusativ:

s. bedanken	Sie bedankte sich für die Einladung.
s. beeilen	Bitte beeil dich!
s. befinden	Die Toiletten befinden sich im Keller.
s. beschweren	Ich habe mich über den Lärm beschwert.
s. bewerben	Ich habe mich um einen Studienplatz beworben.
s. entschließen	Habt ihr euch zum Kauf eines Autos entschlossen?
s. ereignen	Wann hat sich der Unfall ereignet?
s. erholen	Im Urlaub erholen wir uns von der Arbeit.
s. erkälten	Hast du dich erkältet?
s. erkundigen	Er erkundigt sich nach Arbeitsmöglichkeiten.
s. irren	Entschuldigung, ich habe mich in der Tür geirrt.
s. kümmern	Moderne Männer kümmern sich auch um den Haushalt.
s. schämen	Warum hast du mich belogen? Du solltest dich schämen.
s. verhalten	Hat sich der Radfahrer beim Abbiegen richtig verhalten?
s. verlassen	Du kannst dich auf mich verlassen; ich bin immer für dich da.
s. verlieben	Er hat sich in Maria verliebt.
s. wundern	Wir haben uns über die hohe Hotelrechnung gewundert.

s. verhören
s. verlesen
s. versprechen } *Beim Hören, Lesen, Sprechen, Schreiben,*
s. verschreiben } *Rechnen usw. einen Fehler machen.*
s. verrechnen
usw.

2. Reflexivpronomen im Dativ:

s. leisten *A*	Ich kann mir eine so teure Wohnung nicht leisten.
s. merken *A*	Hast du dir meine Telefonnummer gemerkt?
s. vornehmen *A*	Nimm dir nicht zu viel vor!
s. vorstellen *A*	Stellen Sie sich einmal meine schwierige Lage vor!

16. Setzen Sie die passenden Reflexivpronomen ein!

1. Ich habe ___*mich*___ über den Lärm vor dem Hotel beschwert.

2. Ich habe _____ vorgenommen, fleißiger zu sein.

3. Ihr könnt _____ auf mich verlassen; ich komme bestimmt.

4. Bitte verhaltet _____ etwas ruhiger!

5. Entschuldigung, ich habe _____ verrechnet. Die Tomaten kosten nur 5,40 DM.

6. Ein Segelboot kann ich _____ nicht leisten!

7. In den Bergen kann man _____ gut erholen.

8. Wir haben _____ entschlossen, ein eigenes Haus zu bauen.

9. Warum wunderst du _____ über meinen Vorschlag?

10. Am Freitagnachmittag ereignen _____ viele Unfälle.

17. Setzen Sie Reflexivpronomen ein!

1. Ich möchte ___mich___ für das Geschenk bedanken.

2. Wir unterhalten _____ oft mit unseren Nachbarn.

3. Du musst _____ das Rauchen unbedingt abgewöhnen.

4. Sie interessieren _____ nur für Fußball.

5. Sie wünscht _____ ein Fahrrad zum Geburtstag.

6. Kannst du _____ eine Welt ohne Kriege vorstellen?

7. Warum hast du _____ bei der Begrüßung nicht vorgestellt?

8. Hast du _____ die PICASSO-Ausstellung angesehen?

9. Er denkt nur immer an _____ selbst.

10. Kinder, habt ihr _____ schon gewaschen?

11. Durch das viele Rauchen schadest du _____ sehr.

12. Hoffentlich hast du _____ nicht den Fuß gebrochen!

13. Hoffentlich habe ich _____ nicht verspätet!

14. Unsere Wohnung befindet _____ im 3. Stock.

15. Ich kann _____ die madagassischen Namen nicht merken.

18. Antworten Sie mit dem informellen Imperativ!

1. Darf ich mich setzen? – *Ja, setz dich!*

2. Soll ich mir die Jacke ausziehen? – *Ja, ...*

3. Muss ich mir das merken? –

4. Muss ich mich beeilen? –

5. Soll ich mir das Buch kaufen? –

6. Soll ich mich kämmen? –

7. Kann ich mir etwas Kaffee nehmen? –

8. Muss ich mich bei Erika bedanken? –

9. Soll ich mich auch in München bewerben? –

10. Kann ich mich auf dich verlassen? –

11. Soll ich mich am Bahnhof erkundigen? –

1.5 Das Präteritum

1.5.1 „Schwache" Verben:

lernen:			(Präs.)-Stamm	+ Endung	
	ich	lern*te*	ich	lern-	-te
	du	lern*test*	du	lern-	-test
	man	lern*te*	man	lern-	-te
	wir	lern*ten*	wir	lern-	-ten
	ihr	lern*tet*	ihr	lern-	-tet
	sie	lern*ten*	sie	lern-	-ten

Besondere Formen:

1. *Stammauslaut -t, -d:*   *Stammauslaut Konsonant* + m, n:*

(*ohne r, l)

ich	arbeit*ete*	ich	atm*ete*	-ete
du	arbeit*etest*	du	atm*etest*	-etest
man	arbeit*ete*	man	atm*ete*	-ete
wir	arbeit*eten*	wir	atm*eten*	-eten
ihr	arbeit*etet*	ihr	atm*etet*	-etet
sie	arbeit*eten*	sie	atm*eten*	-eten

2. *Unregelmäßige Verben:*

brennen	es brannte	dürfen	ich durfte
kennen	ich kannte	können	ich konnte
nennen	ich nannte	mögen	ich mochte
rennen	ich rannte	ich möchte	ich wollte
senden	ich sandte (sendete)	müssen	ich musste
wenden	ich wandte (wendete)	wissen	ich wusste
bringen	ich brachte	haben	ich hatte
denken	ich dachte	werden	ich wur<u>d</u>e (!)

19. Bilden Sie das Präteritum!

studieren: *ich studierte – du studiertest*
leben:
antworten:
sagen:
öffnen:
wollen:
reisen:
dürfen:
ändern:
begegnen:
machen:
klingeln:
bringen:
wohnen:
setzen:

1.5.2 „Starke" Verben: (Prät.)-Stamm + Endung

gehen:	ich	ging			ich	ging	—
	du	gingst			du	ging-	-st
	man	ging			man	ging	—
	wir	gingen			wir	ging-	-en
	ihr	gingt			ihr	ging-	-t
	sie	gingen			sie	ging-	-en

Besondere Formen:

1. *Stammauslaut -t, -d:*

bitten:	ich	bat	
	du	batst	
	man	bat	
	wir	baten	
	ihr	*batet*	-et
	sie	baten	

ihr botet an, entschiedet, fandet, hieltet, ludet ein, littet, verschwandet, standet, tratet

2. *Stammauslaut -s, -ß:*

lesen:	ich	las	
	du	*last*	-t
	man	las	
	wir	lasen	
	ihr	*last*	
	sie	lasen	

du bewiest, aßt, hießt, ließt, schlosst, saßt, stießt, vergaßt, ...

3. *Das Verb „sein":*
ich war, du warst, man war, wir waren, ihr wart, sie waren

20. *Bilden Sie das Präteritum!*

sprechen: *ich sprach – du sprachst*
nehmen:
helfen: half   geholfen
beginnen:
schwimmen:
finden:
singen:
fahren:
wachsen:
geben:
essen:
fliegen:
ziehen:
bleiben:
entscheiden:

21. Bilden Sie das Präteritum! (Stammformen S. 158)

1. Ich fahre nach Hamburg. → *Ich fuhr nach Hamburg.*
2. Du bleibst zu Hause. →
3. Der Unterricht beginnt. →
4. Wir fliegen nach Rom. →
5. Denkt ihr nur an die Prüfung? →
6. Die Kinder essen Äpfel. →
7. Ich bringe das Buch zurück. → *brachte   habe zurückgebracht*
8. Peter bietet mir eine Zigarette an. *offer* → *bog, gebogen*
9. Eva bittet mich um eine Zigarette. → *bat, gebeten*
10. Wir gehen spazieren. →
11. Das Feuer brennt gut. →
12. Die Hunde beißen sich. →
13. Der Roman gefällt mir gut. → *gefiel, hat gefallen*

22. Setzen Sie das passende Verb in einem geeigneten Tempus ein!
(biegen, blasen, braten, brechen, eindringen, empfehlen, entscheiden, fliehen, fließen, frieren, gelten, genießen, gewinnen, gießen, vergleichen)

1. Der Nil __*fließt*__ durch Ägypten.
2. Meine Aufenthaltsgenehmigung _____ bis zum 31. 12. 19… .
3. Zum Abendessen __*briet*__ mein Freund ein Stück Lammfleisch.
4. Bei den Wahlen muss man sich für eine Partei _____.
5. Bevor man etwas kauft, muss man die Preise _____.
6. Der Verbrecher _____ vor der Polizei.
7. Bitte _____ Sie mir noch etwas Wasser ins Glas!
8. Die Räuber wollten in der Nacht in die Bank __*eindr*_____.
9. Der Bus _____ nach 100 Metern in eine Nebenstraße ein.
10. Du darfst mir den Zigarettenrauch nicht ins Gesicht _____ .
11. Welcher Fußballverein wird morgen das Spiel __*gewinnen*__?
12. Können Sie mir ein gutes und nicht zu teures Restaurant _____?
13. Hoffentlich wird sie sich beim Skilaufen kein Bein _____.
14. Wenn nur 18 °C im Zimmer sind, _____ ich.
15. Nach einer schweren Arbeitswoche _____ wir das Wochenende.

23. Bilden Sie das Präteritum! (Stammformen S. 159)

1. Ich rufe meine Eltern an. → *rief, gerufen*

2. Sie schläft noch. → *schlief, geschlafen*

3. Der Mann kennt mich nicht. → *kannte, hat gekannt*

4. Wir kommen spät nach Hause. →

5. Ihr habt nie Zeit. → *farewell*

6. Sie nehmen Abschied von uns. →

7. Ich nenne ihr meinen Namen. →

8. Petra schreibt mir einen Brief. → *schrieb, hat geschrieben*

9. Der Film läuft mit großem Erfolg im Kino. → *lief, hat gelaufen*

10. Die Schiffe liegen im Hafen. → *ship*

11. Die Kinder rennen zum Spielplatz. →

12. Wir helfen unseren Nachbarn. →

13. Max schließt die Tür zu. →

24. Setzen Sie das passende Verb in einem geeigneten Tempus ein!
(einladen, erschrecken, heben, leiden, messen, raten, riechen, schaffen, scheinen, schieben, schmelzen, schneiden, schreien, vermeiden, zerreißen)

1. In der Bibel steht: Gott _____ die Welt in 6 Tagen.

2. Wenn ein Baby Hunger hat, _____ es.

3. Das Eis _____ an der Sonne.

4. Seine Mutter _____ an einer schweren Krankheit.

5. Man kann nicht jeden Streit _____.

6. Ich möchte Sie zum Abendessen _____.

7. Er hört uns nicht; er *scheint* zu schlafen.

8. Der Lehrer _____ den Schülern, fleißig zu arbeiten.

9. Immer wenn ein Auto hupt, *erschreckt* ich.

10. Ein Gewicht von 100 kg kann ich nicht _____.

11. Er _____ den Brief und warf ihn in den Papierkorb.

12. Ich lasse mir beim Frisör die Haare *schneiden*.

13. Dein neues Parfum _____ sehr gut.

14. Die Krankenschwester _____ die Temperatur des Kranken.

15. Der Motor des Autos ist kaputt; wir müssen das Auto *schieben*.

25. Bilden Sie das Präteritum! (Stammformen S. 160)

1. Ich bin mit meiner Wohnung zufrieden. →

2. Du sitzt neben mir. →

3. Peter trifft seine Freunde im Café. →

4. Wir werden sofort informiert. → _sind_ _worden_

5. Ihr tut nichts. →

6. Die Kinder singen ein Lied. →

7. Ich wasche meine Wäsche selbst. →

8. Weißt du etwas von seinen Plänen? →

9. Das Auto steht in der Garage. →

10. Wir sprechen über Politik. →

11. Zwei Autos stoßen zusammen. → _sind_ stieß gestossen (clashed)

12. Sie vergisst oft ihr Portemonnaie. →

26. Setzen Sie das passende Verb in einem geeigneten Tempus ein! _verb arb_
(beweisen, schweigen, sinken, stechen, stehlen, steigen, streiten, treiben, unterstreichen, verder-
ben, verschwinden, wenden, werben, wiegen, ziehen)

1. Bitte _wenden_ Sie die Adjektiv-Endungen!

2. Können Sie _beweisen_ , dass Sie Herr Müller sind?

3. Das Flugzeug _verschwindet_ hinter den Wolken.

4. Frau Adams ist sehr schlank und _wieg_ nur 42 kg.

5. Die Mieten _steigen_ in diesem Jahr um mindestens 7 %.

6. Im Mai _ziehe_ ich in das Studentenheim in der Frauenstraße.

7. Die Kinder _____ um einen Ball, den sie gefunden haben.

8. Im Winter kann die Temperatur unter – 20 °C _sank_ .

9. Wenn Sie eine Bescheinigung brauchen, _wenden_ Sie sich an das Sekretariat!

10. Wenn das Konzert beginnt, _schweigen_ die Zuhörer.

11. Sei vorsichtig beim Nähen! Du kannst dich mit der Nadel _stechen_ .

12. An heißen Tagen _verderbt_ Fleisch sehr schnell.

13. Die Firma _werbt_ für ihr Produkt mit einem neuen Plakat.

14. _____ Sie Sport?

15. Niemand kann mein Fahrrad _stehlen_ ; es ist abgeschlossen.

27. Wie heißen die folgenden Sätze im Präteritum?

1. Petra studiert in Göttingen. →*Petra studierte in Göttingen.*

2. Sie kennt niemanden in Göttingen. →

3. Sie sucht ein Zimmer. →

4. Sie findet kein Zimmer. →

5. Sie ist verzweifelt. →   *verzagt*

6. Sie will schon abreisen. →

7. Schließlich hat sie Glück. →

8. Sie liest die „Göttinger Nachrichten". →

9. In der Zeitung steht eine Anzeige. →

10. Jemand bietet ein Zimmer an. →

11. Das Zimmer kostet 250 DM. →

12. Es liegt im Stadtzentrum. →

13. Petra mietet es sofort. →

14. Sie unterschreibt den Mietvertrag. →

15. Sie muss sofort eine Monatsmiete zahlen. →

28. Ebenso!

1. Wie findest du den Film? →

2. Er öffnet die Tür. →

3. Ich wende mich an den Lehrer. →   *anwenden*

4. Wollt ihr ein Eis essen? → *wollen*

5. Wir werden müde. → *wurde*

6. Weißt du das nicht? →

7. Das Feuer brennt hell. →

8. Du sitzt immer neben Otto. →

9. Ihr wartet vor der Mensa. →

10. Er kann nicht kommen. →

11. Ich wechsle das Studienfach. →

12. Du verlässt das Haus. →

13. Er bringt ein Geschenk mit. →

29. *Setzen Sie die Prädikate im Präteritum ein!*

Herr Wong ___studierte___ schon mehrere Jahre in Münster.   studieren

Eines Tages _____ er einen Brief von einem Schul-   erhalten

freund. Dieser _____ auch nach Münster kommen   wollen

und _____ Herrn Wong, für ihn eine Wohnung zu   bitten

suchen. Der Freund _____ verheiratet und _____   sein; wollen

seine Frau und seine kleine Tochter mitbringen; also

_____ er eine Zwei- oder Dreizimmerwohnung.   brauchen

Herr Wong _____ eine Anzeige in die „Münstersche   setzen

Zeitung". Ein Maklerbüro _____ _____ bei ihm.   sich melden

Herr Wong _____ zu dem Büro des Maklers. Über   gehen

die Höhe der Vermittlungsgebühr _____ er _____.   sich wundern

Der Makler _____ zwei Monatsmieten. Man   verlangen

_____ ihm eine Adresse in einem Vorort. Leider   geben

_____ er eine Enttäuschung. Die Vermieterin   erleben

_____ die Wohnung nicht an einen Ausländer ver-   wollen

mieten. Aber beim zweiten Angebot _____ er   haben

Glück. Er _____ eine Dreizimmerwohnung für sei-   können

nen Freund mieten. Leider _____ die Miete sehr hoch,   sein

aber die Wohnung _____ hell und komfortabel.   sein

Herr Wong _____ zwei Monatsmieten im Voraus be-   müssen

zahlen. Sofort _____ er seinen Freund _____ und   anrufen

_____ ihm seinen Erfolg _____. Eine Woche spä-   mitteilen

ter _____ der Freund mit seiner Familie _____.   ankommen

Alle _____ _____ über die Wohnung. An der Tür   sich freuen

_____ schon ein Schild mit dem Namen. Drei Tage   hängen

später _____ sie den Einzug.   feiern

30. Setzen Sie die Prädikate im Präteritum ein!

Wie die Schildbürger ihr Rathaus bauten

Die Bürger von Schilda* _wollten_ ein neues Rathaus bauen. Sie | wollen

_____ gemeinsam in den Wald, um Bäume für den Bau | ziehen

zu fällen. Der Wald _____ ein gutes Stück von der Stadt | liegen

entfernt, oben auf einem Berg. Mit viel Mühe _____ sie | hinunterschlep-

die schweren Baumstämme den Berg _____. Aber beim letz- | pen

ten Baumstamm _____ einer der Männer, _____ den | stolpern; loslas-

Baum ____ und das Holz _____ von selbst den Berg | sen; hinunterrol-

_____. Da _____ _____ die Bürger, wie leicht | len; sich wundern;

und bequem das _____. Deshalb _____ sie | gehen; hinauf-

alle anderen Baumstämme wieder den Berg _____, da- | tragen

mit sie allein hinunterrollen _____, und die Bürger | können

_____ _____ über ihre Klugheit. | sich freuen

Die Schildbürger _____ fleißig am Bau ihres Rathau- | arbeiten

ses und das Haus _____ schnell fertig. Als sie aber das | werden

Gebäude zur ersten Ratsversammlung _____, _____ | betreten; sehen

sie, dass es darin ganz dunkel _____, denn die Schildbür- | sein

ger hatten die Fenster vergessen. Sie _____ aber nicht, | erkennen

dass die fehlenden Fenster der Grund für die Dunkelheit

_____. _____ sie ihr neues Rathaus wieder | sein; sollen

abbrechen und neu bauen? Da _____ einer einen guten | haben

Gedanken. Als mittags die Sonne recht hell _____, | scheinen

_____ sie mit Säcken, Kisten und Körben auf die Stra- | gehen

ße, um das Sonnenlicht einzufangen und in das Rathaus zu brin-

gen. Bevor sie die Säcke ins Haus _____, _____ | tragen; zubinden

sie sie fest ____, und die Kisten und Körbe _____ sie | bedecken

mit Tüchern. Erst im Rathaus _____ sie die Gefäße | öffnen

wieder und _____ das Sonnenlicht ____. Aber es | ausschütten

_____ dort so finster wie vorher ... | bleiben

* Schilda ist ein Phantasie-Ort, über dessen Bürger, die „Schildbürger", man sich viele lustige Geschichten erzählt.

31. Formen Sie die folgende Geschichte ins Präteritum um!

Nasreddin Hodscha* geht über den Wochenmarkt; dort steht ein Mann mit einem ganz bunten Vogel. Nasreddin sieht so einen Vogel zum ersten Mal; er fragt: „Was für ein Vogel ist das?" – „Das ist ein Papagei", antwortet der Besitzer. Er will den Papagei natürlich verkaufen. Nasreddin fragt nach dem Preis. „Zwei Pfund", sagt der Mann. Nasreddin wundert sich. „Für zwei Pfund", sagt er, „bekommt man zehn Hühner und noch einen Hahn dazu!" – „Richtig", antwortet der Verkäufer, „aber mein Papagei kann sprechen!"
Nachdenklich geht Nasreddin nach Hause. Im Garten laufen die Hühner herum. Er packt den Hahn, nimmt ihn unter den Arm und geht wieder zum Markt. Der Hahn ist ein schönes Tier, und bald kommt ein Bauer und fragt: „Was kostet dein Hahn, Nasreddin?" – „Drei Pfund", antwortet Nasreddin. „Was?" schreit der Bauer, „bist du verrückt? Da drüben kann man für zwei Pfund einen Papagei kaufen, und der spricht sogar!" – „Richtig!", sagt Nasreddin, „aber mein Hahn kann denken!"

* Von Ägypten bis Afghanistan sind die lustigen Geschichten von Nasreddin Hodscha bekannt. Er war Religionslehrer und lebte in einem Dorf.

→ *Nasreddin Hodscha ging über den Wochenmarkt; dort* ....

1.6 Das Perfekt

Hast du das Perfekt gelernt? Ist Peter angekommen?

Zum Perfekt gehören zwei Verbformen:
1. eine Präsensform von „haben" oder „sein",
2. das *Partizip II* des Hauptverbs.

lernen (ein *schwaches* Verb)				sehen (ein *starkes* Verb)			
ich	habe	das Perfekt	*gelernt*	ich	habe	den Film	*gesehen*
du	hast	das Perfekt	*gelernt*	du	hast	den Film	*gesehen*
man	hat	das Perfekt	*gelernt*	man	hat	den Film	*gesehen*
wir	haben	das Perfekt	*gelernt*	wir	haben	den Film	*gesehen*
ihr	habt	das Perfekt	*gelernt*	ihr	habt	den Film	*gesehen*
sie	haben	das Perfekt	*gelernt*	sie	haben	den Film	*gesehen*

Die Endung des Partizips II
ist bei schwachen Verben *-(e)t*.

Die Endung des Partizips II
ist bei starken Verben *-en*.

① Ich bin nach Hause *ge*rannt.   Ich bin zu Hause *ge*blieben.
  Ich habe das Radio an*ge*stellt.   Sie hat ein Kilo ab*ge*nommen.

② Man hat das Haus verkauft.   Alles ist ihnen misslungen.
  Es ist nichts passiert.

① Das Partizip II der einfachen und trennbaren Verben hat die Vorsilbe *ge-*,
  sie steht bei einfachen Verben *vor dem Stamm*,
  sie steht bei trennbaren Verben *zwischen Präfix und Stamm*.

② Das Partizip II der untrennbaren Verben und der Verben auf „-ieren" haben *kein ge-*!

32. Bilden Sie das Partizip II!

lernen:	*gelernt*	sprechen:	*gesprochen*
arbeiten:		nehmen:	
öffnen:		beginnen:	
ändern:		wegschwimmen:	
sammeln:		erfinden:	
abholen:		singen:	
anstellen:		einschlafen:	
bezahlen:		erhalten:	
übersetzen:		fahren:	
studieren:		wachsen:	
probieren:		abfliegen:	
wollen:		erziehen:	
können:		entscheiden:	
wissen:		sein:	
verbringen:		werden:	

Die Bildung des Perfekts mit „haben" bzw. „sein"

① Ich *habe* mein Fahrrad in die Garage *gestellt*.
Dann *habe* ich das Auto in die Garage *gefahren*.
Iris *hat* sich in letzter Zeit sehr *verändert*.
Geld *haben* wir nicht *gewollt*.
Gestern *hat* es *geregnet*.

② *Bist* du mit dem Zug nach Hamburg *gefahren*?
Ich *bin* zu spät *aufgewacht*.
Warum *ist* Peter zu Hause *geblieben*?
Wann *ist* der Unfall *geschehen*?
Es *ist* mir *gelungen*, die Prüfung zu bestehen.

„Haben" oder *„sein"*?

① Perfekt mit *„haben"*:
  • bei Verben mit Akkusativ-Ergänzung,
  • bei allen reflexiven Verben,
  • bei allen Modalverben
  • bei den meisten anderen Verben.

② Perfekt mit *„sein"*:
  • Verben der Ortsveränderung: gehen, kommen, fahren, steigen, sinken, gelangen, …
  • Verben der Zustandsveränderung: aufwachen, einschlafen, wachsen, platzen, sterben, …
  • die Verben: sein, bleiben, werden; geschehen, passieren, vorkommen; gelingen

33. Formen Sie die Sätze ins Perfekt um!

① Ich lese die Zeitung. → *Ich habe die Zeitung gelesen.*

Der Bus fährt eine alte Frau an. →

Kadir verletzt sich beim Rasieren. →

Eva will keinen Tee. →

Der Film gefällt mir nicht. →

② Wir steigen in den Zug ein. →

Die Rakete explodiert kurz nach dem Start. →

Mein Bruder wird Dachdecker. →

Was passiert? →

Der Raketenstart misslingt. →

34. Formen Sie die Sätze ins Perfekt um!

1. Eva sitzt im Wartezimmer. → *Eva hat im Wartezimmer gesessen.*
2. Herr Mai starb mit 92 Jahren. →
3. Vergisst du meinen Geburtstag? →
4. Mein Bruder studiert in Bonn. →
5. Sie steigt in den Bus ein. →
6. Otto arbeitet bei der Stadtverwaltung. →
7. Ich wurde müde. →
8. Wir frühstücken um 7 Uhr. →
9. Der Pilot fliegt einen Airbus. →
10. Das Auto bewegt sich nicht. →
11. Es gelingt mir nicht eine Arbeit zu finden. →
12. Schließt ihr die Tür zu? →
13. Die Temperatur sinkt unter null Grad. →
14. Der Zug hielt nur 5 Minuten. →
15. Du missverstehst mich. →
16. Wann ereignen sich viele Unfälle? →
17. Im Nebel passieren viele Unfälle. →
18. Das Buch liegt auf dem Tisch. →
19. Ich lege es auf den Tisch. →
20. Warum bleibst du zu Hause? →

35. Perfekt mit „haben" oder „sein"?

1. Peter zieht nach Köln um. →
2. Peter zieht sich warm an. →
3. Eva zerbrach beim Spülen ein Weinglas. →
4. Das Glas fiel auf den Boden und zerbrach. →
5. Ich stoße mir den Kopf an der Tür. →
6. Zwei Autos stoßen zusammen. →
7. Eine Kundin betritt den Laden. →
8. Eine Kundin tritt ein. →

36. *Gestern war alles anders!*

1. Meistens höre ich den Wecker.

   → *Aber gestern habe ich den Wecker nicht gehört.*

2. Meistens stehe ich früh auf.

   → *Aber gestern ...*

3. Meistens frühstücke ich zu Hause.

   → *Aber gestern ...*

4. Meistens fahre ich mit dem Fahrrad zur Arbeit.

   → *Aber gestern ...*

5. Meistens komme ich rechtzeitig in der Firma an.

   → *Aber gestern ...*

6. Meistens habe ich mittags Hunger.

   → *Aber gestern ...*

7. Meistens esse ich in der Kantine unserer Firma.

   → *Aber gestern ...*

8. Meistens macht mir die Arbeit Spaß.

   → *Aber gestern ...*

9. Meistens fahre ich um 17 Uhr nach Hause zurück.

   → *Aber gestern ...*

10. Meistens sehe ich nach dem Abendessen fern.

    → *Aber gestern ...*

11. Meistens gehe ich früh zu Bett.

    → *Aber gestern ...*

12. Meistens schlafe ich sofort ein.

    → *Aber gestern ...*

13. Meistens schlafe ich gut.

    → *Aber gestern ...*

14. Meistens träume ich nicht.

    → *Aber gestern ...*

1.6.1 Das Perfekt der Modalverben

① Ich kann nicht kommen.   → Ich *habe* nicht *kommen* **können**.
Sie will die Prüfung machen.   → Sie *hat* die Prüfung *machen* **wollen**.
Wir brauchen nicht (zu) arbeiten. → Wir *haben* nicht *(zu) arbeiten* **brauchen**.

② Ich kann das nicht.   → Ich *habe* das nicht *gekonnt*.
Sie will keinen Tee.   → Sie *hat* keinen Tee *gewollt*.
Wir brauchen dringend Hilfe. → Wir *haben* dringend Hilfe *gebraucht*.

- Wenn die Modalverben mit einem Infinitiv verwendet werden, bildet man das Perfekt mit „haben" + Infinitiv (sog. ***Ersatzinfinitiv***). ①
- Wenn die Modalverben ohne Infinitiv (d. h. als Vollverben) verwendet werden, bildet man das Perfekt mit „haben" + Partizip II. ②
- Man verwendet das Perfekt der Modalverben nur selten. Meistens wird das Präteritum verwendet.

1.6.2 Das Perfekt von „*lassen*", „*sehen*" und „*hören*"

Ich lasse mir die Haare schneiden.   Ich *habe* mir die Haare *schneiden* **lassen**.
Siehst du den Bus kommen?   *Hast* du den Bus *kommen* **sehen**?

Wenn die Verben „lassen", „sehen" und „hören" mit einem Infinitiv verwendet werden, bildet man das Perfekt mit dem ***Ersatzinfinitiv***.

37. Bilden Sie das Perfekt! (Partizip II oder Ersatzinfinitiv?)

1. Ich kann das nicht. → *Ich habe das nicht gekonnt.*
2. Ich kann nicht zu Ihnen kommen. →
3. Ich mag es ihm nicht sagen. →
4. Die Universität lässt 750 Studenten zu. (!) →
5. Er mag diesen Kuchen nicht. →
6. Ich lasse meine Hose reinigen. →
7. Ich sehe meinen Freund kommen. →
8. Wir brauchen viel Geld. →
9. Sie wollen nach Rom fliegen. →
10. Die Touristen können kein Italienisch. →
11. Hörst du den Hund bellen? →
12. Siehst du das Verkehrsschild? →
13. Ich brauche meinem Vater nicht zu helfen. →
14. Wir müssen eine Strafe zahlen. →
15. Sie will nichts von dir. →

1.7 Die Tempora im Deutschen

Tempus
Präsens:	(man) spricht	(man) kommt
Präteritum:	sprach	kam
Perfekt:	hat gesprochen	ist gekommen
Plusquamperfekt:	hatte gesprochen	war gekommen
Futur I:	wird sprechen	wird kommen
Futur II:	wird gesprochen haben	wird gekommen sein

Mit Modalverben
Präsens:	(man) will sprechen	(man) kann kommen
Präteritum:	wollte sprechen	konnte kommen
Perfekt:	hat sprechen wollen	hat kommen können
Plusquamperfekt:	hatte sprechen wollen	hatte kommen können
Futur I:	wird sprechen wollen	wird kommen können

Tempus	Wann wird das Tempus benutzt?	Beispielsätze
Präsens:	– für die Gegenwart – für die „Ewigkeit" – für die Zukunft	Ich *studiere* zurzeit in Münster. Die Erde *hat* nur einen Mond. Ich *fahre* morgen nach Berlin.
Präteritum:	– für das *Erzählen* von Ver- gangenem (Geschichten, Märchen, Anekdoten usw.) – für das *Schreiben von Li- teratur* (Romane, Novel- len, Bibel usw.)	Es *war* einmal ein König. Der *hatte* ein schönes Töchterlein. Am Anfang *schuf* Gott Himmel und Erde. Und die Erde *war* wüst und leer.
Perfekt:	für *Gespräche* und *Unter- haltungen* über Vergange- nes (*Ausnahmen:* „sein", „haben" und Modalverben)	Was *hast* du gestern *gemacht?* Wo *warst* du gestern? *Konntest* du nicht kommen?
Plusquamperfekt:	für die Vorzeitigkeit in der Vergangenheit	Mein Vater hat mir Geld überwie- sen; ich *hatte* ihn darum *gebe- ten*.
Futur I:	– für Voraussagen und Er- wartungen in der Zukunft – für Vermutungen in der Gegenwart (*modaler Ge- brauch*)	In 4 Wochen *werde* ich nicht mehr hier *sein*. Peter ist nicht gekommen. Er *wird* krank sein.
Futur II:	meistens für Vermutungen in der Vergangenheit (!) (*modaler Gebrauch*)	Der Dieb *wird* durch die offene Terrassentür ins Haus *gekom- men sein*.

38. Setzen Sie das Prädikat im Plusquamperfekt ein!

1. Herr Schmidt konnte sich ein teures Segelboot kaufen, weil er im Lotto
   _____gewonnen hatte_____. (gewinnen)
2. Sie schrieb den Brief mit einer Schreibmaschine, die sie von ihrer Großmutter
   _____.(erben)
3. Die Frau war sehr traurig, weil ihr Hund _____. (weg-
   laufen)
4. Er fuhr nicht zur Arbeit, weil er über Nacht krank _____. (werden)
5. Sie fand endlich den Hausschlüssel wieder, den sie vor sehr langer Zeit
   _____. (verlieren)
6. Sie kam zu spät zum Unterricht, weil sie unterwegs eine Fahrradpanne
   _____. (haben)
7. Peter hat sich den Film angesehen, den sein Freund ihm _____
   _____. (empfehlen)
8. Julia war sehr glücklich, weil sie die Prüfung _____. (bestehen)
9. Nachdem Otto Hahn die Kernspaltung _____ (entdecken),
   wurde bald die erste Atombombe gebaut.

- - - - - - - - -

10. Frau Thier machte eine Reise nach Niedersachsen, wo sie als kleines Kind
    _____. (leben)
11. Aus Hannover rief sie ihre Kinder an, die zu Hause _____.
    (bleiben)
12. Nach vielen Jahren sah sie die Stadt wieder, in der sie aufs Gymnasium
    _____. (gehen)
13. Sie traf vor dem Bahnhof einen alten Mann, der ein Kollege ihres Vaters
    _____ . (sein)
14. Dieser konnte sich an sie erinnern, nachdem sie ihm ihren Familiennamen
    _____. (nennen)
15. Nach der Rückkehr zeigte Frau Thier ihrer Familie die Fotos, die sie auf ihrer
    Reise _____. (machen)

39. *Im nächsten Urlaub werden Kramers alles anders machen! (Benutzen Sie das Futur I!)*

1. Kramers fahren im Urlaub immer nach Frankreich, aber in diesem Jahr
   _____*werden sie nach Nordfriesland fahren*_____. (Nordfriesland)

2. Sie fahren sonst immer mit dem Auto, aber diesmal _____.
   _____. (Zug)

3. Sie können im Auto viel Gepäck mitnehmen, aber im Zug _____
   _____. (nur wenig Gepäck)

4. In Frankreich wohnen sie in einer Ferienwohnung, aber in Nordfriesland
   _____. (Verwandte)

5. In Frankreich essen sie oft im Restaurant, aber in diesen Ferien _____
   _____. (ihre Verwandten)

6. In Frankreich essen sie immer Weißbrot, aber in Nordfriesland _____
   _____. (Schwarzbrot)

7. In Frankreich trinken die Kramers abends gerne Rotwein, aber in Nordfriesland _____. (oft Teepunsch)

8. Meistens machen sie drei Wochen Urlaub, aber diesmal _____
   _____. (nur zwei Wochen)

9. In Frankreich müssen Kramers Französisch sprechen, aber in Nordfriesland
   _____. (Deutsch)

10. In Frankreich ist es im Sommer heiß, aber in Nordfriesland _____
    _____. (kälter)

11. Im Mittelmeer kann Herr Kramer jeden Tag baden, aber in der Nordsee
    _____. (nur an warmen Tagen)

12. In Frankreich besucht Frau Kramer jedes Jahr das Picasso-Museum, aber in
    Nordfriesland _____. (Storm-Museum)

1.8 Das Passiv

Fast alle Verben mit „sein"-Perfekt bilden kein Passiv.

1.8.1 Das Passiv bei Verben mit Akkusativ-Ergänzung

Ein Student wird plötzlich sehr krank. Er selbst kann nichts tun.

Was geschieht mit ihm?
>   Der Student *wird* ins Krankenhaus *gebracht.*
>   Er *wird* sofort von einem Arzt *untersucht.*
>   Der Student *wird operiert.*
>   Fünf Tage später *wird* er von seinen Eltern wieder *abgeholt.*

Präsens:	Der Student **wird** operiert.
Präteritum:	Der Student **wurde** operiert.
Perfekt:	Der Student **ist** operiert **worden**.
Plusquamperfekt:	Der Student **war** operiert **worden**.
Futur I:	Der Student **wird** operiert **werden**.
(Futur II:	Der Student **wird** operiert **worden sein**.)

Ein Arzt untersucht den Studenten. ——▶ *Der Student wird von einem Arzt untersucht.*

Man operierte den Studenten. ——▶ *Der Student wurde (Ø) operiert.*

Zwei Krankenpfleger haben ihn vorsichtig in sein Zimmer gebracht. ——▶ *Er ist von zwei Krankenpflegern vorsichtig in sein Zimmer gebracht worden.*

– Fast alle* Verben mit Akkusativ-Ergänzung können das Passiv bilden.
– Das Passiv-Prädikat wird mit einer Form von „werden" + Partizip II gebildet.
  (Im Passiv benutzt man „worden" statt „geworden"!)

– Veränderungen:

- Akkusativ-Ergänzung ◀——▶ *Subjekt (Nominativ-Ergänzung)*
- Subjekt ◀——▶ *Täter-Nennung* mit „von" (seltener „durch")
- „man" o. ä. als Subjekt ◀——▶ *keine Täter-Nennung (Ø)*

– Unverändert bleiben:
  - alle übrigen Satzglieder, z. B. DatErg, PräpErg, Angaben;
  - das Tempus

* Ein Passiv ist nicht möglich,
  – wenn das Prädikat keine „aktive" Tätigkeit ausdrückt: *Er hat kurzes Haar.* → Ø
  – wenn das Verb reflexiv gebraucht wird: Ich schäme mich. → Ø; *Das Kind putzt sich die Zähne.* → Ø

40. Formen Sie die folgenden Sätze ins Passiv um! Bilden Sie anschließend Präteritum und Perfekt dieses Passivsatzes!

1. Zwei Freunde besuchen den Studenten.
   → *Der Student wird von zwei Freunden besucht.*
   → *Der Student wurde von zwei Freunden besucht.*
   → *Der Student ist von zwei Freunden besucht worden.*

2. Ich übersetze den Brief ins Englische.

   →

   →

   →

3. Die Lehrerin erklärt den Studenten die Grammatik.

   →

   →

   →

4. Wir laden unsere Freunde zum Essen ein.

   →

   →

   →

5. In Frankreich trinkt man viel Wein.

   →

   →

   →

6. Man bezahlt die Rechnung sofort.

   →

   →

   →

7. Jemand bringt die Bücher wieder zurück.

   →

   →

   →

8. Der Wissenschaftler führt Versuche durch.

   →

   →

   →

41. Formen Sie die Passiv-Sätze in Aktiv-Sätze um!
1. Die Geschwindigkeit wird von der Polizei kontrolliert.

   →

2. Das Verbotsschild ist von vielen Autofahrern nicht beachtet worden.

   →

3. Meine Schuhe wurden vom Schuster repariert.

   →

4. Die Heizung wird von einer Heizungsfirma eingebaut werden.

   →

5. Die Heizung war nicht abgestellt worden.

   →

42. Bilden Sie das Passiv bzw. das Aktiv!
1. Der Student füllt das Formular aus.

   →

2. MARIE CURIE hat radioaktive Stoffe analysiert.

   →

3. Die Glühbirne wurde von EDISON erfunden.

   →

4. Der Glaser wird neue Fensterscheiben einsetzen.

   →

5. Ich werde oft von unserer Sekretärin angerufen.

   →

6. Der Schüler berichtigte die Fehler.

   →

7. Peter hat die Tür geöffnet.

   →

8. Der Verkehrsunfall ist durch ein Kind verursacht worden.

   →

9. Die Schlüssel wird man sicher wiederfinden.

   →

10. Waren Sie rechtzeitig informiert worden?

    →

1.8.2 Das Passiv bei Modalverben

Ich *muss* die Rechnung bezahlen.
> → Die Rechnung *muss* von mir *bezahlt werden*.

Sie *durfte* die Briefe nicht öffnen.
> → Die Briefe *durften* von ihr nicht *geöffnet werden*.

Man *hat* den Studenten operieren *müssen*.
> → Der Student *hat* operiert werden *müssen*.

> – Die Modalverben selbst bilden keine Passivformen.
> – Man benutzt den *Infinitiv Passiv* des Hauptverbs.

Präsens:	Der Student *muss*	operiert werden.	
Präteritum:	Der Student *musste*	operiert werden.	
Perfekt:	Der Student *hat*	operiert werden	*müssen*.
Plusquamperfekt:	Der Student *hatte*	operiert werden	*müssen*.
Futur I:	Der Student *wird*	operiert werden	*müssen*.

43. Bilden Sie das Passiv!

1. Er kann die Fragen nicht beantworten.

   →

2. Unsere Freunde konnten das Haus kaufen.

   →

3. Du musst das Eis sofort essen.

   →

4. Sie hat eine hohe Strafe zahlen müssen.

   →

5. Man darf Kinder nicht schlagen.

   →

44. Bilden Sie das Aktiv!

1. Die Blumen müssen abends begossen werden.

   →

2. Die Tür muss morgens vom Hausmeister geöffnet werden.

   →

3. Das Computer-Programm konnte nicht installiert werden.

   →

4. Das Spielzeug hat nicht mehr repariert werden können.

   →

5. Der Schaden wird von der Versicherung ersetzt werden müssen.

   →

1.8.3 Das subjektlose Passiv bei Verben ohne Akkusativ-Ergänzung

Der Lehrer hilft dem Schüler. → Dem Schüler *wird* vom Lehrer *geholfen.*
Man half den Kindern. → Den Kindern *wurde geholfen.*
Hat man für alle Gäste gut gesorgt? → *Ist* für alle Gäste gut *gesorgt worden?*

– Verben ohne Akkusativ-Ergänzung bilden ein *subjektloses Passiv.*
– Man benutzt die *3. Person Singular* des Verbs.
– Das Verb muss eine aktive Tätigkeit ausdrücken.

45. *Bilden Sie das Passiv!*
1. Im Institut diskutierten die Wissenschaftler nur noch über die Entdeckung.
   → *Im Institut ...*
2. Der Behördenchef gratulierte der Beamtin zur Beförderung.
   → *Der Beamtin ...*
3. Man hat tagelang über diesen Unfall geredet.
   →
4. Kann man auf die Verlesung des Protokolls verzichten?
   →
5. Fast alle Abgeordneten stimmten dem Gesetz zu.
   →
6. Musste man nicht mit solchen Schwierigkeiten rechnen?
   →
7. Man wird den Opfern der Katastrophe helfen müssen.
   →
8. Nur einige Autofahrer hatten auf die Verkehrsnachrichten geachtet.
   →

46. *Bilden Sie das Aktiv!*
1. In Großbritannien wird links gefahren. (Beispiel für Passiv bei „sein"-Perfekt.)
   →
2. Von der Gewerkschaft ist gegen die Schließung der Fabrik protestiert worden.
   →
3. Den Verletzten wurde schnell geholfen.
   →
4. Vor den Folgen starken Rauchens wird überall gewarnt.
   →
5. Von der Presse ist ausführlich über die Konferenz berichtet worden.
   →
6. Mit der Sanierung der Altstadt wurde bereits begonnen.
   →

1.8.4 Das „Erststellen-Es"

Ⓘ	II	III	IV
Es	kommen	Tausende	zum Oktoberfest
Tausende	kommen	zum Oktoberfest.	
Zum Oktoberfest	kommen	Tausende.	
Es	wird	viel Bier	getrunken.
Viel Bier	wird	getrunken.	

- Das „Erststellen-Es" kann in Aussagesätzen stehen, und zwar sowohl in Aktiv- als auch in Passivsätzen, aber nicht in Frage- oder Imperativsätzen.

- Das „Erststellen-Es" wird benutzt, wenn in der Position I, also vor der Personalform des Prädikats, kein anderes Satzglied stehen soll oder kann.

- *Das „Erststellen-Es" ist kein Satzglied*, sondern ein sogenannter „Platzhalter". Bei Umstellung der Satzglieder verschwindet das „Erststellen-Es".

- Das „Erststellen-Es" steht häufig in Passivsätzen, in denen der „Täter" nicht genannt wird.

Beispiele: Es wird zu schnell gefahren.
            Es durften keine Aufnahmen gemacht werden.
            Es müssen noch einige Fragen geklärt werden.

47. Bilden Sie Passivsätze mit „Erststellen-Es", wenn es möglich ist!
(Lassen Sie den „Täter" weg!)
1. Eine Bombe zerstörte mehrere Häuser.
   → *Es wurden mehrere Häuser zerstört* .
2. Unsere Politiker machen leider oft Fehler.

   → *Es ...*
3. Die Regierung stellt zu wenig neue Lehrer ein.

   →
4. Die Polizei durchsuchte mehrere Räume. Sie hat Falschgeld gefunden.

   →
5. Mein Fahrrad ist kaputt. Kannst du es reparieren?

   →
6. Statt Schreibmaschinen benutzt man fast nur noch Computer.

   →

48. Bilden Sie jetzt Passivsätze ohne „Erststellen-Es"!
1. *Mehrere Häuser wurden zerstört.*
2. *...*

49. Bilden Sie Passivsätze! (Ist „Es" möglich?)
1. Man musste viele Bäume fällen.

   →

2. Musste man damit rechnen?

   →

3. Fährt man in Indien noch links?

   →

4. Wenn Kinder anwesend sind, darf man nicht rauchen.

   →

50. Was ist im Flugzeug verboten?
(rauchen, Tiere mitnehmen, Waffen mitbringen, zu viel Alkohol trinken, Feuer machen, den Piloten stören)
1. *Es darf nicht geraucht werden.*

2. *Es ...*

3. *Es ...*

4. *Es ...*

5. *Es ...*

6. *Der Pilot ...*

51. Was empfehlen Umweltschützer?
(Müll möglichst vermeiden, den Müll sortieren, nur Mehrwegflaschen verwenden, keine Getränke in Dosen kaufen, weniger Kunstdünger verwenden, sparsamer mit Rohstoffen umgehen, viel Rad fahren, auf das Auto verzichten)
1. *Müll sollte möglichst vermieden werden.*

2. *Der Müll ...*

3. *Es ...*

4. *Es ...*

5. *Es ...*

6. *Mit Rohstoffen ...*

7. *Es ...*

8. *Auf das Auto ...*

52. Bilden Sie Passiv- bzw. Aktivsätze!
1. Ich stelle die Tasse und den Teller in den Schrank.

    →

2. Von Touristen darf eine Stange Zigaretten importiert werden.

    →

3. Die Freundinnen diskutieren über den Zeitungsartikel.

    →

4. Man begann um 8 Uhr mit dem Unterricht.

    →

5. Die Luft wird durch Autoabgase verschmutzt.

    →

6. Wir konnten den Namen nicht im Telefonbuch finden.

    →

7. Es ist gegen diesen Beschluss der Regierung protestiert worden.

    →

8. Diesen Pullover wird er sicher niemals anziehen.

    →

9. Hat die Presse auf die Veranstaltung hingewiesen?

    →

10. Das Schiff ist durch zwei Raketen zerstört worden.

    →

11. Der Dolmetscher übersetzte den Brief ins Deutsche.

    →

12. Es konnten von uns keine weiteren Namen genannt werden.

    →

13. Die Kinder hatten den Ball wiedergefunden.

    →

14. Die Prüfung hat von jedem gemacht werden müssen.

    →

15. Der Staat muss den Arbeitslosen helfen.

    →

16. Man hat die Tür leider nicht öffnen können.

    →

17. Ihm hätte von uns allen widersprochen werden müssen.

    →

1.9 Modalverben

können:	Ich **kann** schwimmen.	(Fähigkeit)
	Sonntags **kann** man hier kein Brot kaufen.	(Möglichkeit)
	Du **kannst** hereinkommen!	(Erlaubnis)
dürfen:	Du **darfst** hier parken.	(Erlaubnis)
wollen:	Ich **will** morgen nach Hamburg fahren.	(Wille, Absicht)
ich möchte:	**Möchtest** du nach Hause gehen?	(Wunsch)
müssen:	Ich **muss** mein Studium selber finanzieren.	(Notwendigkeit)
nicht brauchen:	Du **brauchst** mir **nicht** (zu) helfen.	(= nicht müssen)
sollen:	Ich **soll** dir von Udo sagen, dass er kommt.	(Auftrag)

53. Bilden Sie verschiedene Tempora mit Modalverben!

Präs.:   *Man muss arbeiten*   *Sie kann nicht kommen*

Prät.:   *Man musste arbeiten*   *Sie . . .*

Perf.:   *Man hat arbeiten müssen*   *Sie . . .*

Plusqu.: *Man hatte arbeiten müssen*   *Sie . . .*

Fut. I: *Man wird arbeiten müssen*   *Sie . . .*

Weitere Übungssätze: Ich muss zu Hause bleiben.
Willst du auch verreisen?
Wir brauchen nicht zu arbeiten.
Ihr dürft so etwas nicht sagen!
Die Tür kann leicht geöffnet werden.
Die Bücher müssen liegen bleiben.

54. Beantworten Sie die Fragen negativ!

1. Muss ich den Text übersetzen?

   → *Nein, Sie brauchen den Text nicht (zu) übersetzen.*

2. Müssen deutsche Schüler eine Uniform tragen?

   → *Nein, ...*

3. Musste Peter allein zum Bahnhof gehen?

   → *Nein, ...*

4. Mussten die Straßen während des Papstbesuchs gesperrt werden?

   → *Nein, ...*

5. Hat Peter lange warten müssen?

   → *Nein, ...*

55. Setzen Sie passende Modalverben ein!

1. Weil Erika krank war, _____ sie nicht zum Unterricht kommen.

2. Ich _____ dich gestern Abend anrufen, aber dann habe ich es vergessen.

3. Wie kommst du zur Party? _____ ich dich mit dem Auto abholen oder
   fährst du lieber mit dem Fahrrad? – Du _____ mich nicht abzuholen.

4. Für das Fach Medizin gelten Zulassungsbeschränkungen. Wer Medizin studieren _____, _____ ein gutes Abitur haben.

5. Meine Eltern waren sehr streng. Als Schülerin _____ ich nie eine Diskothek besuchen und _____ immer vor 22 Uhr zu Hause sein.

6. Wenn die Ampel Rot zeigt, _____ die Autofahrer anhalten. Erst bei Grün
   _____ sie weiterfahren.

7. Ich habe gestern deine Tante getroffen. Ich _____ dich von ihr grüßen.

8. Es gibt noch viele freie Plätze im Kino. Wo _____ du gerne sitzen,
   weiter vorn oder weiter hinten?

56. Setzen Sie passende Modalverben ein!
                          Im Studentensekretariat

Student: Guten Tag!
Angestellte: Guten Tag! Was _____ ich für Sie tun?

St: Ich _____ Ihnen mein Abiturzeugnis bringen.

A: Gut. Aber warum _____ Sie mir das Original geben? Sie _____
   niemals das Original aus der Hand geben. Das _____ bei uns verloren
   gehen. Es reicht, wenn Sie uns eine Fotokopie geben.

St: Aber Ihr Kollege hat gestern gesagt, dass ich das Original bringen _____.

A: Nein, das _____ er nicht gesagt haben. Er hat sicher gesagt: „Bringen
   Sie eine Fotokopie mit und zeigen Sie mir das Original zur Kontrolle!"

St: Aha! Dann _____ ich also noch eine Fotokopie besorgen?

A: Ja, das _____ Sie! — *St:* Ist sonst alles in Ordnung?

A: Ich _____ mir kurz Ihre Akte ansehen. Oh ja, es fehlt noch eine Fotokopie der Aufenthaltserlaubnis. Sie _____ uns bis zum Ende des Monats
   die Aufenthaltserlaubnis vorlegen.

St: Die _____ ich Ihnen morgen auch mitbringen. Bis morgen! Auf Wiedersehen!   — *A:* Auf Wiedersehen!

1.10 „lassen"

① Reparierst du die Waschmaschine selbst?
   Nein, ich *lasse* die Waschmaschine vom Elektriker *reparieren.*
② Erlaubt die Mutter ihren Kindern, ins Kino zu gehen?
   Ja, die Mutter *lässt* ihre Kinder ins Kino *gehen.*
③ Kann die Haustür leicht geöffnet werden?
   Ja, die Haustür *lässt sich* leicht *öffnen.*

„lassen" + Infinitiv hat die Bedeutung:
   ① veranlassen, bitten, beauftragen
   ② zulassen, erlauben
   ③ (+ Reflexivpronomen): ‚gemacht' werden können

57. *Beantworten Sie die Fragen mit „lassen"!*
   1. Schneidest du dir die Haare selbst? (Frisör)
   Nein, ich lasse mir die Haare vom Frisör schneiden.
   2. Korrigierst du deinen Text selbst? (Lehrer)
   Nein, ...

   3. Wollt ihr euer Haus selbst bauen? (Baufirma)
   Nein, wir ...

   4. Nähst du deine Kleider selbst? (Schneiderin)
   Nein, ...

   5. Untersuchst du dich selbst? (Arzt)
   Natürlich nicht! Ich ...

   6. Erlaubt der Vater seiner Tochter, mit dem neuen Auto zu fahren?
   Ja, er lässt sie mit dem neuen Auto fahren.

   7. Erlaubt der Lehrer den Schülern, ein Wörterbuch zu benutzen?
   Ja, ...

   8. Erlaubt der Grenzpolizist, dass der Tourist ohne Kontrolle durchfährt?
   Ja, ...

   9. Kann man diesen Artikel gut verkaufen?
   Ja, er lässt sich gut verkaufen.

   10. Kann man diesen Text mühelos übersetzen?
   Ja, ...

   11. Kann man den Schrank leicht transportieren?
   Ja, ...

   12. Konnte man diese Schwierigkeiten nicht vermeiden?
   Nein, ...

2 Die Nominalgruppe

2.1 Deklination des Nomens

	maskulin	neutral	feminin
Singular:			
Nominativ:	der Vater	das Kind	die Mutter
Akkusativ:	den Vater	das Kind	die Mutter
Dativ:	dem Vater	dem Kind	der Mutter
Genitiv:	des Vater**s***	des Kind(e)**s***	der Mutter
Plural:			
N	die Väter	die Kinder	die Mütter
A	die Väter	die Kinder	die Mütter
D	den Väter**n**	den Kinder**n**	den Mütter**n**
G	der Väter	der Kinder	der Mütter

*Viele einsilbige Nomen und Nomen auf -s, -ß und -z haben die Genitivendung -es.

***n*-Deklination** (maskulin)	***Nomen nach der n-Deklination:***
der Student	• Nomen mit bestimmten Endungen:
den Student**en**	-ent: Student, Präsident, Assistent usw.
dem Student**en**	-ant: Demonstrant, Praktikant, Musikant usw.
des Student**en**	-ist: Polizist, Sozialist, Jurist usw.
	-oge: Biologe, Geologe, Soziologe usw.
	-at: Demokrat, Diplomat, Soldat usw.
die Student**en**	• Nationalitätenbezeichnungen:
die Student**en**	Franzose, Pole, Tscheche, Grieche, Türke, Russe usw.
den Student**en**	• Folgende Nomen:
der Student**en**	Bauer (Bauer**n**), Herr (Sg: Herr**n** / Pl: Herr**en**), Junge, Kamerad, Kollege, Kunde, Mensch, Nachbar (Nachbar**n**), Löwe, Affe usw.

Pluralbildung:

Singular		Plural	
1. der Tag	–	die Ta**g**e	**-e**
die Nacht	–	die N**ä**cht**e**	**¨e**
2. das Kind	–	die Kind**er**	**-er**
der Mann	–	die M**ä**nn**er**	**¨er**
3. das Fenster	–	die Fenster	**–**
der Vater	–	die V**ä**ter	**¨**
4. die Frau	–	die Frau**en**	**-(e)n**
der Bauer	–	die Bauer**n**	
5. das Hotel	–	die Hotel**s**	**-s**
das Foto	–	die Foto**s**	

2.2 Deklination des Artikels

Artikel im Singular:

* bestimmter Artikel:

N	*der*	Vater	*das*	Kind	*die*	Mutter
A	*den*	Vater	*das*	Kind	*die*	Mutter
D	*dem*	Vater	*dem*	Kind	*der*	Mutter
G	*des*	Vaters	*des*	Kind(e)s	*der*	Mutter

Ebenso werden folgende Artikelwörter dekliniert:
dieser (dieses, diese)
jener
jeder
mancher
welcher?

* unbestimmter Artikel:

N	*ein*	Vater	*ein*	Kind	*eine*	Mutter
A	*einen*	Vater	*ein*	Kind	*eine*	Mutter
D	*einem*	Vater	*einem*	Kind	*einer*	Mutter
G	*eines*	Vaters	*eines*	Kind(e)s	*einer*	Mutter

Ebenso werden folgende Artikelwörter dekliniert:
kein (kein, keine)
mein, (dein, sein, ihr, unser, euer, ihr)
irgendein
was für ein?

Artikel im Plural:

N	*die*	Eltern
A	*die*	Eltern
D	*den*	Eltern
G	*der*	Eltern

Ebenso werden die übrigen Artikelwörter dekliniert:

diese	irgendwelche
jene	meine, deine, seine usw.
alle	keine
manche	viele, wenige
solche	einige, mehrere
welche?	

Besonderheit:

Die bestimmten Artikel *das*, *dem* und *der* werden mit einigen Präpositionen häufig zu einem Wort zusammengezogen:

an + das → *ans*   in + das → *ins*
an + dem → *am*   bei + dem → *beim*   in + dem → *im*   von + dem → *vom*   zu + dem → *zum*
zu + der → *zur*

58. Ergänzen Sie!
Singular:

1. Hier ist d_er_ Teller, d____ Tasse, d____ Glas, ein____ Messer, ein____ Gabel,

(N) ein____ Löffel; mein____ Buch, ihr____ Kugelschreiber, sein____ Brille, euer____ Motorrad, Ihr____ Garage, kein____ Taxi, kein____ Auskunft.

2. Wir kennen d_en_ Arzt, d____ Ärztin, d____ Personal, d____ Engländer____,

(A) ein____ Franzose____, ein____ Polin, ein____ Mädchen, jed____ Schüler____, jed____ Kollegin, dies____ Bauer____, kein____ Mensch____, unser____ Assistent____, sein____ Nachbarin.

3. Das Auto gehört d_em_ Bäcker, d____ Polizist____, d____ Lehrerin, ein____ Türke____, ein____ Französin, dies____ Herr____, dies____ Frau,

(D) kein____ Kollege____, kein____ Nachbarin, mein____ Vater, sein____ Patient____, unser____ Nachbar____, eur____ Großvater.

4. Hier ist das Haus d_es_ Präsidenten, d____ Bürgermeisterin, d____ Ingenieur____, ein____ Amerikaner____, ein____ Grieche____, dies____ Sportler____, dies____ Sängerin, irgendein____ Soldat____, ein____ Pro-

(G) fessor____, ihr____ Nachbar____, eur____ Kunde____, sein____ Sohn____, ein____ Geologe____. Hier ist die Höhle d____ Löwe____!

Plural:

1.
der Mantel	→ *die Mäntel*	der Sohn	→
die Stadt	→	die Wand	→
das Dorf	→	das Mädchen	→
der Arbeiter	→	der Brief	→
die Krankheit	→	die Uhr	→
(N) das Zeugnis	→	das Kleid	→
der Staat	→	der Bauer	→
die Studentin	→	der Spanier	→
das Sofa	→	das Buch	→
der Pole	→	der Autor	→

2. Er spricht mit d_en_ Student_en_, d____ Assistentin____, d____ Techniker____,

(D) all____ Leute____, mein____ Geschwister____, dies____ Krankenschwester____, beid____ Chef____, dein____ Brüder____, sein____ Kamerad____, solch____ Mensch____, d____ Clown____, eur____ Gäst____.

59. Ergänzen Sie – wo nötig – die Endungen!

1. Auf dem Tisch steht eine____ Lampe.

2. Im Portemonnaie ist kein____ Geld mehr.

3. Welch____ Fahrrad gehört dir?

(N) 4. Hat euer____ Haus einen Garten?

5. Mein____ Eltern wollen nach Köln ziehen.

6. Was für ein____ Gemüse ist Kohlrabi?

7. Dies____ Handschuhe gehören mir nicht.

8. Im Kino sind noch einig____ Plätze frei.

9. Hast du dein____ Eltern schon angerufen?

10. Welch____ Film habt ihr gestern Abend gesehen?

11. Er spricht sehr gut Deutsch; er macht fast kein____ Fehler mehr.

(A) 12. Wir haben unser____ Haus selbst gebaut.

13. Vergeßt nicht, eu____ Tür abzuschließen!

14. Ich kann nicht all____ Rechnungen für dich bezahlen.

15. Bilden Sie bitte ein____ Satz im Präsens!

16. Der Makler hat mir mehrer____ Zimmer im Stadtzentrum gezeigt.

17. Mein Bruder trinkt das Bier am liebsten aus d____ Flasche.

18. Die Mutter hilft ihr____ Kinder____ bei d____ Hausaufgaben.

(D) 19. In d____ Wald bin ich kein____ Mensch____ begegnet.

20. Der Schrank steht zwischen d____ Tür und d____ Fenster.

21. Mit welch____ Kollege____ triffst du dich heute Abend?

22. Bei dies____ Kälte gefällt es d____ Leute___, vor d___ Kamin zu sitzen.

23. Wie findest du das Foto mein____ Freundin Eva?

24. Die Arbeit d____ Bauer____ ist sehr schwer.

25. Wir haben erst Ende d____ Monat____ Zeit euch zu besuchen.

(G) 26. Kennst du den Namen dies____ Frau?

27. Nennen Sie mir bitte die Geburtsdaten Ihr____ Vaters und die Ihr____ Mutter!

28. Hat sich die Adresse Ihr____ Eltern geändert?

2.3 Der Possessiv-Artikel

Person	Vater, Kind und Mutter dieser Person(en)			Eltern dieser Person(en)
1. ich:	*mein* (Vater)	*mein* (Kind)	*meine* (Mutter)	*meine* (Eltern)
2. du:	*dein*	*dein*	*deine*	*deine*
3. man:	*sein*	*sein*	*seine*	*seine*
er:	*sein*	*sein*	*seine*	*seine*
es:	*sein*	*sein*	*seine*	*seine*
sie:	*ihr*	*ihr*	*ihre*	*ihre*
1. wir	*unser*	*unser*	*unsere*	*unsere*
2. ihr:	*euer*	*euer*	*eure*	*eure*
3. sie (Sie):	*ihr (Ihr)*	*ihr (Ihr)*	*ihre (Ihre)*	*ihre (Ihre)*

60. Setzen Sie die passenden Possessiv-Artikel ein!

1. Peter ist mit dem Auto gekommen. Wo hat er __*sein*__ Auto geparkt?

2. Maria hat viele Bücher. Wo stehen _____ Bücher?

3. Du wolltest doch fotografieren. Wo ist _____ Kamera?

4. Meine Eltern ziehen in eine Mietwohnung um. Sie haben _____ Haus verkauft.

5. Habt ihr eine Waschmaschine gekauft? Wo steht _____ Waschmaschine?

6. Wir haben Freunde in Hamburg. Am Wochenende besuchen wir _____ Freunde.

7. Ruf mich morgen an! Hast du _____ Telefonnummer?

8. Das Kind spielt in der Sandkiste. _____ Hände sind schmutzig.

9. Frau Müller, Sie haben doch ein Fahrrad. Wo ist denn _____ Fahrrad?

10. Wo wohnt Frau Müller? Kennst du _____ Adresse?

11. Das Kamel trägt schwere Lasten auf _____ Rücken.

12. Herr Braun ist zufrieden mit _____ Beruf, _____ Chefin und _____ Kollegen.

13. Eva macht _____ Hausaufgaben, räumt _____ Zimmer auf und ruft dann _____ Freundin an.

14. Denkt ihr an _____ Urlaub und an _____ Urlaubsreise?

15. Meine Eltern verbringen _____ Ferien in _____ Ferienhaus.

61. Setzen Sie die passenden Possessiv-Artikel ein!

1. Frau Braun kümmert sich um _____ Kinder, _____ Mann und _____ Haus.

2. Herr Braun, wo haben Sie _____ Mantel, _____ Tasche und _____ Portemonnaie?

3. Ich hole jetzt _____ Wörterbuch, _____ Papiere und _____ Kugelschreiber.

4. Könntest du mir bitte die Adresse _____ Eltern, _____ Bruders und _____ Schwester geben?

5. Wir haben von _____ Arbeit, _____ Plänen und von _____ Unfall erzählt.

6. Das kleine Mädchen spielt mit _____ Ball, _____ Puppen und _____ Fahrrad.

62. Setzen Sie die zum Subjekt des Satzes passenden Possessiv-Artikel ein!

1. Maria ist am Wochenende bei _____ Familie gewesen und hat lange mit _____ Eltern über _____ Pläne gesprochen.

2. Peter, wo hast du denn _____ Tasche mit _____ Notizbuch?

3. Frau Braun, können Sie sich noch gut an _____ Kindheit und an _____ Elternhaus erinnern?

4. Das kleine Kind ging mit _____ Freundin auf den Spielplatz.

5. Ich habe eine Fotokopie _____ Abiturzeugnisses und _____ Zulassung vorlegen müssen.

6. Wir beabsichtigen, _____ Ferien gemeinsam mit _____ Freunden zu verbringen.

7. Unsere Nachbarn haben _____ Auto und _____ Gartenmöbel in _____ Garage gestellt.

8. Warum erzählt ihr so wenig von _____ Reise, die ihr mit _____ Kollegen gemacht habt?

9. Der Gärtner ist stolz auf _____ Gemüse, _____ Obst und _____ Blumen.

2.4 Frage-Artikel: was für (ein-)? welch-?

Was für ein Fahrrad hast du dir gekauft? (Wie sieht es aus? Wie teuer war es?)
Was für Leute sind deine Nachbarn? (alt? jung? sympathisch? arm? reich? klug?)

Mit *welchem* Rad bist du gekommen? (Mit deinem eigenen, dem deiner Frau?)
Mit *welchen* Nachbarn habt ihr Kontakt? (Mit den linken oder den rechten?)

was für (ein-)?	ist eine offene Frage, die nach allem fragt. Es gibt keine Vorinformation.
welch-?	ist eine eingegrenzte Frage, die eine Auswahl aus wenigen (schon bekannten) Möglichkeiten trifft.

63. Setzen Sie die passenden Frage-Artikel ein!
1. _Welcher_ Maler gefällt Ihnen besser, Manet oder Monet?
2. _____ Mensch ist Ihr Freund?
3. An _____ deutschen Universität studieren Sie?
4. Mit _____ Hand schreiben Sie?
5. Mit _____ Schwierigkeiten muss man im Ausland rechnen?
6. In _____ Firma arbeiten Sie?
7. An _____ Ferien erinnern Sie sich besonders gerne?
8. _____ Tier ist der Fuchs?
9. _____ Interessen haben Sie eigentlich?
10. Auf _____ griechischen Inseln sind Sie schon einmal gewesen?

2.5 Negativ-Artikel: kein-

(Hast du *ein* Fahrrad?)	Nein, ich habe **kein** Fahrrad.
(Hast du Ø Schwierigkeiten?)	Nein, ich habe **keine** Schwierigkeiten.

64. Beantworten Sie die Fragen negativ!
1. Hast du einen Computer? – *Nein, ich habe keinen Computer.*
2. Hast du Hunger? – *Nein, ich ....*
3. Haben Sie Geld bei sich? – *Nein, ich ...*
4. Hat deine Schwester Kinder? – *Nein, sie ...*
5. Hast du letztes Jahr an einer Prüfung teilgenommen? – *Nein, ich ...*
6. Bekommt Peter ein Stipendium? – *Nein, er ...*
7. Hat Elisabeth Interesse an der Wohnung? – *Nein, sie ...*
8. Machst du Fehler beim Schreiben? – *Nein, ich ...*
9. Haben Sie Zigaretten im Gepäck? – *Nein, ich ...*
10. Können Sie sich an einen Namen erinnern? – *Nein, ich ...*

3 Das Adjektiv

3.1 Deklination der Adjektive als Attribute

A Singular

1. *Adjektive nach bestimmtem Artikel:*

N	der junge Mann	das kleine Kind	die schöne Frau
A	den jungen Mann	das kleine Kind	die schöne Frau
D	dem jungen Mann	dem kleinen Kind	der schönen Frau
G	des jungen Mann(e)s	des kleinen Kind(e)s	der schönen Frau

-e
-en

Ebenso nach: dieser, jener, jeder, mancher, welcher?

2. *Adjektive nach unbestimmtem Artikel:*

N	ein junger Mann	ein kleines Kind	eine schöne Frau
A	einen jungen Mann	ein kleines Kind	eine schöne Frau
D	einem jungen Mann	einem kleinen Kind	einer schönen Frau
G	eines jungen Mann(e)s	eines kleinen Kind(e)s	einer schönen Frau

-er -es -e
-en

Ebenso nach: kein, mein (dein, sein, ihr, unser, euer), irgendein

3. *Adjektive nach Ø-Artikel:*

N	roter Wein	frisches Brot	kalte Milch
A	roten Wein	frisches Brot	kalte Milch
D	rotem Wein	frischem Brot	kalter Milch
G	roten* Wein(e)s	frischen* Brot(e)s	kalter Milch

Artikel-
endungen
* 2 Ausnah-
men

B Plural

1. *Adjektive nach bestimmtem Artikel:*

N	die	alten Freunde
A	die	alten Freunde
D	den	alten Freunden
G	der	alten Freunde

-en

Ebenso nach: diese, jene, manche, solche, welche? alle, keine, meine (deine ...)

2. *Adjektive nach Ø-Artikel:*

N	alte Freunde
A	alte Freunde
D	alten Freunden
G	alter Freunde

Artikel-
endungen

Ebenso nach: einige, mehrere, viele, wenige; Zahlen

C Besondere Formen:

Endung *-el*:   dunkel: die dunkle Nacht; sensibel: ein sensibler Mensch; usw.
Ebenso: sauer: saure Gurken; teuer: ein teures Haus
hoch: ein hoher Turm

65. Adjektive nach Artikeln im Singular

1. Hier ist ein interessant*es* Buch, das interessant____ Buch, der neu____ Kugelschreiber, ein neu____ Kugelschreiber, eine teur____ Brille, die teur____ Brille.

2. Ich kaufe einen warm____ Mantel, den warm____ Mantel, diese dunkl____ Hose, keine dunkl____ Hose, das japanisch____ Fernsehgerät, kein japanisch____ Fernsehgerät.

3. Ich bin zufrieden mit dem alt____ Pullover, meinem alt____ Pullover, der gemütlich____ Wohnung, meiner gemütlich____ Wohnung, dem neu____ deutsch____ Wörterbuch, meinem neu____ deutsch____ Wörterbuch.

4. Er ist der Besitzer eines groß____ Hauses, des groß____ Hauses, einer gut gehend____ Buchhandlung, der gut gehend____ Buchhandlung, eines klein____ Wagens, dieses klein____ Wagens.

66. Adjektive nach Ø-Artikel im Singular

1. Hier ist kühl____ Bier, frisch____ Milch, heiß____ Kaffee.

2. Ich kaufe bitter____ Schokolade, frisch____ Brot, holländisch____ Käse.

3. Was hältst du von frisch____ Luft, kalt____ Wasser, stark____ Wind?

4. Er ist ein Liebhaber italienisch____ Weins, griechisch____ Olivenöls, modern____ Kunst.

67. Adjektive vor Nomen im Plural

1. Hier sind süß____ Kirschen, saftig____ Pflaumen, sehr schön____ Pfirsiche, gelb____ Bananen, die best____ Äpfel.

2. Ich kaufe grün____ Bohnen, jung____ Karotten, aber keine alt____ Kartoffeln, sondern die neu____ Kartoffeln dieses Jahres.

3. Ich unterhalte mich gerne mit gut____ Bekannten, meinen lieb____ Verwandten, den verschieden____ Bewohnern unseres Hauses.

4. Im botanischen Garten gibt es eine Sammlung tropisch____ Pflanzen, mexikanisch____ Kakteen, der schönst____ afrikanisch____ Orchideen.

68. Ergänzen Sie die Adjektiv-Endungen!

Ich habe mir ein neu___ Auto gekauft, weil das alt___ Auto nicht mehr gut fuhr.

Die Bremsen meines alt___ Wagens funktionierten überhaupt nicht mehr. Wenn

ich einen steil___ Berg hinabfuhr, musste ich immer im erst___ Gang fahren.

Außerdem war die recht___ Lampe kaputt und das link___ vorder___ Seiten-

fenster konnte man nicht mehr schließen. Die alt___ Reifen waren abgefahren,

aber ich wollte mir keine neu___ mehr kaufen. Der ein___ Scheibenwischer be-

wegte sich nicht mehr und der ander___ quietschte wie ein klein___ Schweinchen.

Mein neues Auto macht mir Spaß. Ich hoffe, dass ich in der nächst___ Zeit keine

groß___ Probleme haben werde.

69. Ergänzen Sie die Adjektiv-Endungen!

Ali ist aus dem international___ Studentenheim ausgezogen. Er wohnte dort im

zweit___ Stock. Sein link___ Nachbar war ein Grieche, der entweder mit viel___

Freunden lang___ Diskussionen führte oder – wenn er allein war – laut___ grie-

chisch___ Musik hörte. Sein recht___ Nachbar war ein fleißig___ Student aus

dem Libanon, der aber fast jed___ Nacht bis 2 Uhr morgens auf einer alt___,

laut___ Schreibmaschine tippte. Auch auf der ober___ und unter___ Etage gab

es nur wenige ruhig___ Leute. Wegen dieses dauernd___ Krachs ist Ali ausgezo-

gen.

Er hat jetzt ein ruhig___ Zimmer bei einer freundlich___ Familie gefunden, die

in einem älter___ Haus am südlich___ Stadtrand wohnt. Sein Zimmer hat zwar

nur ein klein___ Fenster und noch keine modern___ Zentralheizung, aber es ist

absolut ruhig. Und Ali braucht absolut___ Ruhe!

70. Ergänzen Sie die Adjektiv-Endungen!

1. Der deutsch____ Student fuhr mit seinem spanisch____ Freund nach Paris.

2. Ein unfreundlich____ Polizist hat mir eine falsch____ Auskunft gegeben.

3. Ich möchte ein klein____, nicht zu teur____ Zimmer mit fließend____ Wasser.

4. Unser alt____ Auto hat vorne rechts einen neu____ Reifen.

5. Dieser neu____ Reifen ist von gut____ Qualität.

6. Ich habe seit lang____ Zeit kein interessant____ Buch mehr gelesen.

7. Welcher gut____ Freund hat dir dieses schön____ Geschenk mitgebracht?

8. Er hat zu viel kalt____ Wasser getrunken.

9. In dem preiswert____ Restaurant gibt es leider nur wenig frisch____ Obst.

10. Ich war gestern mit einem alt____ Schulfreund und seinem jünger____ Bruder im Kino.

11. Ich esse gerne frisch____ Brot mit gesalzen____ Butter.

12. Ich trinke nur rot____ Wein; weiß____ Wein schmeckt mir nicht.

13. Unser link____ Nachbar hat sein alt____ Haus mit weiß____ Farbe gestrichen.

14. Am spät____ Nachmittag ereignete sich ein schwer____ Unfall.

15. Ein vollbesetzt____ Bus raste mit hoh____ Geschwindigkeit gegen einen Baum.

16. Klein____ Kinder spielen gerne mit bunt____ Spielsachen.

17. Ich habe keine gut____ Neuigkeiten für Sie!

18. Ich höre gerne den interessant____ Erzählungen alt____ Leute zu.

19. In Münster studieren viele koreanisch____ Studenten.

20. Welche deutsch____ Städte haben Sie im vergangen____ Jahr besichtigt?

21. Mein türkisch____ Freund kümmert sich sehr gut um seine alt____ Eltern.

22. Ich habe einige interessant____ Artikel in der heutig____ Zeitung gelesen.

23. Fast alle ausländisch____ Studierenden müssen eine schwierig____ Aufnahmeprüfung machen.

24. Zwei neu____ Studentinnen sind in den Kurs gekommen.

25. Das Zweit____ Deutsch____ Fernsehen (ZDF) hat in den letzt____ Wochen mehrere spannend____ englisch____ Kriminalfilme gezeigt.

71. Setzen Sie die fehlenden Adjektivendungen ein!

1. In den Ferien habe ich einige interessante___ Bücher gelesen.

2. Alle ausländisch___ Studenten müssen eine Sprachprüfung machen.

3. Ich habe mit mehreren deutsch___ Studenten über ihre Berufschancen gesprochen.

4. Ich verstehe die Bedeutung dieser schwierig___ Sätze nicht.

5. Welche deutsch___ Romane hast du schon gelesen?

72. Setzen Sie jetzt auch die Endungen der Artikelwörter ein!

1. Die Arbeitslosigkeit viel___ jung___ Menschen ist ein großes Problem.

2. Im Sommer bin ich durch mehrer___ europäisch___ Länder gereist.

3. Hast du dir dies___ schön___ Bilder in Ruhe angesehen?

4. Ich habe all___ wichtig___ Regeln gelernt.

5. Einig___ unwichtig___ Regeln darf man wieder vergessen.

6. Das Gedächtnis manch___ alt___ Leute ist noch sehr gut.

7. Sie kann sich solch___ teur___ Kleider gar nicht leisten.

8. Mit wenig___ schnell___ Schritten erreichte er die Haustür.

9. Viel___ deutsch___ Studierende wohnen bei ihren Eltern.

10. Ich habe mir gestern sein___ neuest___ Fotos angesehen.

11. Ich habe einig___ interessant___ Bücher im Antiquariat gekauft.

12. Ich kaufe überhaupt kein___ neu___ Geräte mehr; sie sind mir zu teuer.

13. Welch___ ausländisch___ Zeitungen liest du gerne? – Es gibt da mehrer___ englisch___ Zeitungen, die mir gefallen.

14. Es gibt leider mehr schlecht___ Zeitungen als gut___.

15. D___ beid___ neu___ Fahrräder unser___ link___ Nachbarn sind heute gestohlen worden.

16. Auch die Räder viel___ ausländisch___ Studenten sind gestohlen worden.

17. Fast all___ falsch geparkt___ Autos behindern den Verkehr.

18. Die Polizei hat drei falsch geparkt___ Autos abschleppen lassen.

19. Hast du schon einmal solch___ toll___ Fotos gesehen?

20. Ich habe nur wenig___ gut___ Aufnahmen aus unser___ letzt___ Ferien mitgebracht.

73. Setzen Sie in die Lücken die fehlenden Endungen ein!
Die Romanfabrik

1. Alexandre Dumas war ein__ erfolgreicher_französischer_ Schriftsteller.

2. Ei____ bekannt____ Roman von ihm heißt „D____ drei Musketiere".

3. Man hat aus dies____ Roman auch ei____ beliebt____ Film gemacht.

4. Dumas hatte schon 250 spannend____ Abenteuerromane geschrieben.

5. Immer wieder verlangten die Zeitungen neu____ Fortsetzungsromane von ihm.

6. Aber Alexandre Dumas hatte kei____ gut____ Ideen mehr;

7. deshalb bat er ei____ ander____ Schriftsteller,

8. ei____ Roman unter dem Namen Dumas zu schreiben.

9. Dumas bezahlte sei____ Helfer natürlich gut.

10. Der zweit____ Schriftsteller schrieb nicht schlecht, aber langsam;

11. jeden Tag schickte er nur eine Fortsetzung an ei____ französisch____ Zeitung.

12. Der Roman hieß „D____ schön____ Gabriele".

13. Da bekam Dumas die traurig____ Nachricht vom plötzlich____ Tod d____ Helfers.

14. Dumas erschrak, denn der Roman erschien ja unter sei____ eigen____ Namen!

15. Obwohl er kei____ einzig____ Wort des Romans gelesen hatte, musste er ihn zu Ende schreiben.

16. Aber als er d____ früher____ Fortsetzungen durchlas,

17. verstand er d____ kompliziert____ Handlung nicht; deswegen stellte er sich krank und teilte der Zeitung mit:

18. „Ich kann kei____ neu____ Fortsetzungen mehr schreiben!"

19. D____ unerwartet____ Antwort war:

20. „Die Post hat schon d____ nächst____ Fortsetzung gebracht!"

21. Dumas konnte sich d____ merkwürdig____ Sache zuerst nicht erklären,

22. doch dann entdeckte er d____ einfach____ Lösung des Rätsels.

23. Sei____ gestorben____ Helfer hatte schon lange nichts mehr geschrieben;

24. wahrscheinlich hatte er ei____ schwer____ Krankheit gehabt.

25. Der Roman war d____ Arbeit eines dritt____ Autors,

26. dem er das halb____ Honorar gegeben hatte, das er von Dumas bekam.

27. Der dritt____ Schriftsteller schickte täglich ei____ neu____ Fortsetzung

28. an d____ Zeitung, und zwar bis zu d____ glücklich____ Ende d____ Romans.

74. *Das Partizip II als Attribut*

1. Ich schäle Kartoffeln; ich lege die _geschälten_ Kartoffeln in einen Topf.
2. Ich öffne die Tür; ich gehe durch die _____ Tür.
3. Die Regierung verbietet die Glücksspiele; aber trotzdem finden _____ Glücksspiele statt.
4. Ich finde 5 Mark auf der Straße; ich freue mich über das _____ Geld.
5. Der Dieb stahl ein Auto und fuhr mit dem _____ Auto spazieren.
6. Ich lasse meine Jacke reinigen; danach ziehe ich die _____ Jacke wieder an.
7. Mein Freund verliert seine Handschuhe; er hofft, seine _____ Handschuhe wiederzufinden.
8. Meine Freundin bietet mir Kaffee an; ich trinke den _____ Kaffee mit Vergnügen.
9. Der Trainer pumpt den Fußball auf; die Spieler können nur mit einem _____ Fußball spielen.
10. Der Kaufmann wiegt ein Kilo Tomaten ab und gibt mir die _____ Tomaten in einer Tüte.
11. Peter hat seine Hose zerrissen; man sieht sein Knie durch die _____ Hose.
12. Ich schließe das Fenster; bei _____ Fenster kann ich besser arbeiten.

75. *Das Partizip I (Infinitiv + -d) als Attribut*

1. Im Frühjahr blühen die Tulpen; ich freue mich über die _blühenden_ Tulpen.
2. Fahren Sie vorsichtig, wenn Kinder auf der Straße spielen! _____ Kinder achten nicht auf den Verkehr.
3. Unser Wasserhahn tropft schon wieder. Ich kann _____ Wasserhähne nicht ertragen!
4. Passt diese Krawatte zu meinem Hemd? Es ist schwer, eine _____ Krawatte zu finden.
5. Vorsicht, da kommt uns ein Lastwagen entgegen! Hast du das _____ Auto nicht gesehen?
6. Mein Computer funktioniert schlecht. Ich ärgere mich über den schlecht _____ Computer.
7. Vorsicht, der Bus hält! An einem _____ Bus muss man vorsichtig vorbeifahren.
8. Vor dem Café gehen sehr viele Menschen vorüber. Wir beobachten die _____ Menschen.
9. Die Stadt brannte und die Menschen flohen aus der Stadt. Vor der _____ Stadt gab es viele _____ Menschen.
10. Der Zug fährt schon. Sie dürfen nicht in einen _____ Zug einsteigen!

3.2 Nominalisierte Adjektive und Partizipien

Ein Deutsch**er** (eine Deutsch**e**) betritt ein Londoner Hotel.
Der Deutsch**e** (die Deutsch**e**) möchte ein Zimmer mieten.
Der Portier zeigt dem Deutsch**en** (der Deutsch**en**) ein Zimmer.
Gibt es etwas Neu**es**?
Alle Studierend**en** müssen eine Prüfung machen.
Viele Abgeordnet**e** haben dem Gesetz zugestimmt.

Alle Adjektive und Partizipien können nominalisiert werden. Diese Nomen werden wie Adjektive dekliniert.

Nominale Adjektive:		Nominale Partizipien II:	Nominale Partizipien I:
ein Arbeitsloser	viel Gutes	ein Angeklagter	ein Reisender
eine Bekannte	etwas Gutes	eine Angestellte	eine Vorsitzende
ein Betrunkener	nichts Gutes	ein Gefangener	die Überlebenden
eine Blinde	alles Gute	eine Vorgesetzte	
ein Erwachsener		ebenso: ein Beamter	
		aber: eine Beam**tin**	

76. *Ergänzen Sie die Endungen!*

1. Mein Bekannt*er* hat mich zum Essen eingeladen.

2. Die Angeklagt____ beantwortete die Frage des Richters.

3. Im Parlament gibt es 500 Abgeordnet____.

4. Hast du etwas Interessant____ gehört? – Nein, es gab nichts Neu____.

5. Ich wünsche dir für die Zukunft alles Lieb____ und alles Gut____!

6. Die Koffer des Reisend____ waren sehr schwer.

7. Ein Polizeibeamt____ wollte meinen Pass sehen.

8. Die Zahl der Arbeitslos____ steigt immer weiter.

9. Ein Jugendlich____ darf das Spielkasino nicht betreten.

10. Hast du Kontakt zu Deutsch____?

11. Ein Angestellt____ hat mir das Formular gegeben.

12. Hast du mit dem Fremd____ gesprochen?

13. Unsere Verwandt____ aus Hamburg hat uns neulich besucht.

14. Dieser Film ist nur für Erwachsen____.

15. Bei diesem Verkehrsunfall gab es einen Tot____ und drei Verletzt____.

16. Ich übersetze den Brief aus dem Russisch____ ins Deutsch____.

17. Es wurde leider kein Gefangen____ freigelassen.

18. Die Krank____ muss täglich zum Arzt gehen.

19. Hast du die Rede des neuen Parteivorsitzend____ gehört?

20. Unter Blind____ ist der Einäugig____ König.

3.3 Vergleiche

3.3.1 Gleichheit

<u>Dein Bruder</u> ist *genauso* alt *wie* <u>mein Bruder</u>.
<u>In Japan</u> gibt es *ebenso* große Fabriken *wie* <u>in Amerika</u>.
Willst du <u>heute</u> *so* lange arbeiten *wie* <u>gestern</u>?
(Willst du <u>heute</u> *so* lange *wie* <u>gestern</u> arbeiten?)

- Für die Gleichheit benutzt man „genauso / ebenso / so … wie".
- Man darf nur <u>analoge Glieder</u> miteinander vergleichen.
- Das 2. Vergleichsglied steht meistens außerhalb der Satzklammer.

77. *Ergänzen Sie die Vergleiche! (Gleichheit):*

1. Ich bin ____*ebenso alt wie*____ meine Zwillingsschwester. (alt)

2. Sie arbeitet _____ ihre Freundin. (fleißig)

3. Tübingen gefällt mir _____ Heidelberg. (gut)

4. Herr Fischer hat ein _____ Einkommen _____ seine Frau. (hoch)

5. Frau Fischer trägt _____ Kleider _____ ihre Nach-barin. (elegant)

3.3.2 Ungleichheit:

① Dein Bruder ist *nicht so* alt *wie* mein Bruder.
In Afghanistan gibt es *keine so* großen Fabriken *wie* in Japan.

② Dein Bruder ist *älter als* mein Bruder.
In Frankreich gibt es *schnellere* Züge *als* in Spanien.

Für die Ungleichheit benutzt man:
① „nicht / kein- so … wie" oder
② den Komparativ des Adjektivs + „als"

3.3.3 Maximum bzw. Minimum:

① In Frankreich fährt der *schnellste* Zug der Welt.
An dieser Kreuzung passieren die *meisten* Unfälle.

② Welcher Zug fährt *am schnellsten*?
Worüber ärgerst du dich *am meisten*?

Für ein Maximum / Minimum benutzt man den Superlativ des Adjektivs:
① vor einem Nomen: als Attribut mit der entsprechenden Endung
② abhängig von einem Verb: mit der Form „am …-sten"

3.3.4 Komparation

Der Zug ist ein *schnelleres* Verkehrsmittel als der Bus.
Der Zug fährt *schneller* als der Bus.

Das Flugzeug ist *das schnellste* Verkehrsmittel.
Mit dem Flugzeug kommt man *am schnellsten* nach Amerika.

– Adjektive haben zwei Komparationsformen: **Komparativ** und **Superlativ**.
Man bildet den **Komparativ** mit der Endung *-er* und den **Superlativ** mit
der Endung *-st*.

schnell:	*schneller-*	*schnellst-*
schön:	*schöner-*	*schönst-*

Besonderheiten:

1. Einige häufig gebrauchte einsilbige Adjektive haben im Komparativ und
im Superlativ den Umlaut:

arm:	*ärmer-*	*ärmst-*
jung:	*jünger-*	*jüngst-*

2. Adjektive mit *d, t, s, ß, z* am Ende haben im Superlativ die Endung *-est*:

alt:	*älter-*	*ältest-*
heiß:	*heißer-*	*heißest-*

3. Adjektive mit *-el* am Ende verlieren im Komparativ das *e* vor *-l*:

dunkel:	*dunkler-*	*dunkelst-*
Ebenso: teuer:	*teurer-*	*teuerst-*
sauer:	*saurer-*	*sauerst-*

4. Adjektive mit unregelmäßiger Komparation:

groß:	*größer-*	*größt-*
hoch:	*höher-*	*höchst-*
nah:	*näher-*	*nächst-*
gut:	*besser-*	*best-*
viel:	*mehr**	*meist-*
wenig:	*weniger**	*wenigst-*

*(immer ohne Endung!)

(Die folgenden Formen können nur abhängig vom Verb gebraucht werden:

gern	*lieber*	*am liebsten*
sehr	*mehr*	*am meisten*)

– Komparative und Superlative vor einem Nomen werden (wie alle Linksattribute des Nomens) dekliniert.

– Komparative beim Verb werden nicht dekliniert.

– Superlative beim Verb haben die Form „*am ...-sten*".

78. Drücken Sie die Ungleichheit mit „nicht / kein- so ... wie" aus!

1. Petra kommt später, weil sie _nicht so schnell fährt wie_ du. (schnell fahren)

2. In der Wüste regnet es _____ in den Tropen. (oft)

3. Ich ziehe einen dicken Pullover an, weil es heute _____
   gestern. (warm sein)

4. Mach mir lieber Tee! Ich trinke _____ du.
   (starken Kaffee)

5. Meine Frau bleibt gern zu Hause. Sie macht _____
   ich. (große Reisen)

79. Übungen zur Komparation:
   Bei Monika ist alles anders!

1. Katrin trägt ein schönes Kleid. Aber Monika _trägt ein schöneres Kleid._

2. Katrin hat einen teuren Rucksack. Aber Monika _____

3. Katrin hat moderne Möbel. Aber Monika _____

4. Katrin hat viele Bilder an der Wand. Aber Monika _____

5. Katrin geht oft ins Kino. Aber Monika _____

   Paul ist „super"!

1. Pauls Freunde sind gute Tennisspieler, aber Paul _ist der beste Tennisspieler._

2. Pauls Freunde sind sehr sportlich, aber Paul _____

3. Pauls Freunde können sehr schnell schwimmen, aber Paul _____

   _____

4. Pauls Freunde haben sehr sympathische Eltern, aber Paul _____

   _____

5. Pauls Freunde kennen sehr viele Leute, aber Paul _____

   Wer kennt die Rekorde?

1. Welches ist der _kleinste_ Kontinent? (klein)

2. Welches Tier läuft _____? (schnell)

3. Welches Tier kann _____ springen? (weit)

4. Welches ist _____ Stadt der Welt? (groß)

5. An welchem Ort ist es _____? (heiß)

6. Wie heißt _____ Fluss der Welt? (lang)

7. Wie alt ist _____ Mensch geworden? (alt)

8. Welche Sprache wird von _____ Menschen gesprochen? (viele)

80. *Vergleichen Sie!*

1. alt sein: mein Onkel, meine Mutter, meine Großmutter
   → *Mein Onkel ist alt. Meine Mutter ist älter als mein Onkel. Meine Großmutter ist am ältesten.*

2. ich trinke gern: Bier, Wein, Wasser
   →

3. gut schreiben: der Bleistift, der Kugelschreiber, der Füller.
   →

4. hoch sein: das Haus, der Kirchturm, der Fernsehturm
   →

5. es ist kalt: in Deutschland, in Finnland, am Nordpol
   →

6. nah sein: der Bahnhof, die Schule, der Stadtpark
   →

7. es regnet stark: in Norddeutschland, in Bayern, in den Alpen
   →

8. wenig essen: ein alter Mann, ein Kind, ein Baby
   →

9. ein gutes Fahrrad haben: Peter, Bruno, Fritz
   →

10. viele Bücher haben: der Student, der Lehrer, Prof. Koch
    →

11. ein teures Kleid kaufen: Fatma, Klara, Petra
    →

12. einen weiten Weg zur Arbeit haben: ich, du, unser Chef
    →

13. eine große Wohnung haben und auch eine hohe Miete zahlen: Herr Kim, Familie Schröder, die Meiers
    →

4 Pronomen

4.1 Personalpronomen

		N	A	D	G (sehr selten)
Singular	1. Person:	*ich*	*mich*	*mir*	*(meiner)*
	2. Person:	*du*	*dich*	*dir*	*(deiner)*
	3. Person:	*man*	*einen*	*einem*	*(–)*
		er	*ihn*	*ihm*	*(seiner)*
		es	*es*	*ihm*	*(seiner)*
		sie	*sie*	*ihr*	*(ihrer)*
Plural	1. Person:	*wir*	*uns*	*uns*	*(unser)*
	2. Person:	*ihr*	*euch*	*euch*	*(euer)*
	3. Person:	*sie / (Sie)*	*sie / (Sie)*	*ihnen / (Ihnen)*	*(ihrer) / (Ihrer)*

81. Setzen Sie passende Personalpronomen der 3. Person ein!

1. Sind deine Eltern zu Hause? – Ja, ___*sie*___ sind zu Hause.

2. Wo ist mein Fahrrad? – Ich glaube, _____ steht im Keller.

3. Ist deine Freundin wieder gesund? – Nein, _____ ist noch krank.

4. Ist dein Bruder noch bei euch? – Nein, _____ ist schon wieder abgereist.

5. Möchten Sie diese Rosen kaufen? – Nein, _____ sind zu teuer.

6. Hast du das Buch gelesen? – Ja, ich habe _____ gelesen.

7. Hast du den Film gesehen? – Ja, ich habe _____ mir angesehen.

8. Hast du die Hausaufgaben schon gemacht? – Nein, ich habe _____ noch nicht gemacht.

9. Hast du die Lampe ausgemacht? – Ja, ich habe _____ ausgemacht.

10. Hast du das Fenster geöffnet? – Nein, aber ich kann _____ gleich öffnen.

11. Die alte Frau braucht Hilfe. Wer kann _____ helfen?

12. Das kleine Kind hat Durst. Wer gibt _____ etwas zu trinken?

13. Er hat die Regel nicht verstanden. Wer erklärt sie _____ noch einmal?

14. Die Studenten haben noch keine Bücher. Wer besorgt _____ die Bücher?

15. Peter hat Geburtstag. Hast du _____ schon gratuliert?

16. Sie besucht ihren kranken Vater jeden Tag. Sie ist sehr besorgt um _____.

17. Wir haben Streit mit unseren Nachbarn. Wir reden nicht mehr mit _____.

18. Wo ist Fatma geblieben? Hast du etwas von _____ gehört?

19. Peter und Eva Meier waren im letzten Jahr bei uns. Kannst du dich noch an _____ erinnern?

20. Die Meiers sprechen oft von ihrer erfolgreichen Tochter. Sie sind sehr stolz auf _____.

4.1.1 Stellung der Akkusativ-Ergänzung und der Dativ-Ergänzung im Satz

① Ich gebe   *dem Lehrer*   *das Buch.*

② Ich gebe   *es*   *ihm.*

③ Ich gebe   *es*   *dem Lehrer.*
  Ich gebe   *ihm*   *das Buch.*

① zwei Nomen:	zuerst <u>Dativ</u>,	dann <u>Akkusativ</u>
② zwei Pronomen:	zuerst <u>Akkusativ</u>,	dann <u>Dativ</u>
③ Nomen + Pronomen:	zuerst <u>Pronomen</u>,	dann <u>Nomen</u>

82. Setzen Sie Personalpronomen ein!

1. Herr Müller möchte den Schlüssel haben. Gib ___*ihn*___ ___*ihm*___ !

2. Frau Müller möchte die Blumen haben. Gib _____ _____!

3. Die Studenten möchten die Bücher haben. Gib _____ _____!

4. Erika möchte die CD haben. Gib _____ _____!

5. Paul möchte das Kassettengerät haben. Gib _____ _____!

6. Die Hunde wollen den Knochen haben. Gib _____ _____!

7. Soll ich dir das Buch schenken? – Ja, schenk _____ _____!

8. Soll ich euch die Fotos zeigen? – Ja, zeig _____ _____!

9. Soll ich den Kindern das Märchen vorlesen? Ja, lies _____ _____ vor!

10. Soll ich Peter mein Fahrrad verkaufen? – Ja, verkauf _____ _____!

11. Werden Sie den Studenten den Text erklären? – Ich habe _____ _____ schon erklärt.

12. Werden Sie Ihrem Nachbarn das Geld leihen? – Ich habe _____ _____ schon geliehen.

13. Werden Sie Ihrer Tochter die Schuhe kaufen? – Ich habe _____ _____ schon gekauft!

14. Werden Sie dem Kind den Ballon schenken? – Ich habe _____ _____ schon geschenkt.

15. Können Sie mir das Zeugnis schicken? – Ich habe _____ _____ schon geschickt!

16. Peter möchte mit dem Auto seines Vaters fahren. Aber der leiht _____ _____ nicht.

17. Der Mann wollte meine Telefonnummer haben. Aber ich habe _____ _____ nicht gegeben.

4.2 Präposition + Pronomen

① *An wen* denkst du? An deine Eltern?   Ja, ich denke *an sie*.
  Auf wen wartest du? Auf deinen Freund?   Ja, ich warte *auf ihn*.
  Mit wem hast du telefoniert? Mit Eva?   Ja, ich habe *mit ihr* telefoniert.

② *Woran* denkst du? An die Prüfung?   Ja, ich denke *daran*.
  Worauf wartest du? Auf einen Anruf von Eva? Ja, ich warte *darauf*.
  Womit rechnest du? Mit schlechtem Wetter? Ja, ich rechne *damit*.

① Für Personen benutzt man:	– Präposition + Fragepronomen
	– Präposition + Personalpronomen
② Für Sachen (Sachverhalte) benutzt man:	– *wo(r)-* + Präposition
	– *da(r)-* + Präposition

83. Beantworten Sie die Fragen mit Pronominalformen!

1. Wendest du dich an den Direktor? – *Ja, ich wende mich an ihn.*

2. Bist du in Gerda verliebt? – *Ja, ...*

3. Ärgerst du dich über die schlechten Noten? – *Nein, ...*

4. Wunderst du dich über die Rechnung? – *Ja, ...*

5. Wartest du auf deine Freunde? – *Nein, ...*

6. Zweifelst du an seinen Worten? – *Ja, ...*

7. Bedankst du dich für das Geschenk? – *Ja, ...*

8. Hast du nicht nach Peter gefragt? – *Doch, ...*

9. Arbeitest du für die Prüfung? – *Nein, ...*

10. Sprichst du über deine Eltern? – *Ja, ...*

84. Fragen Sie nach! (Sie möchten Ihren Gesprächspartner nicht falsch verstehen.)

1. Ich arbeite <u>mit meinem Onkel</u> zusammen. → *Mit wem arbeitest du zusammen?*

2. Ich lebe <u>von meiner Rente</u>. →

3. Ich freue mich <u>auf die Ferien</u>. →

4. Ich bin noch <u>von meinen Eltern</u> abhängig. →

5. Ich bin stolz <u>auf meine Kinder</u>. →

6. Er träumt <u>von einem besseren Leben</u>. →

7. Sie schreibt <u>an ihre Eltern</u>. →

8. Sie verzichten <u>auf das Geld</u>. →

9. Er ist beliebt <u>bei seinen Kollegen</u>. →

4.3 Fragewörter

Wer?	Wer besucht dich?
Wen?	Wen besuchst du?
Wem?	Wem gibst du das Buch?
Wessen?	Wessen Buch ist das?
An wen?	An wen denkst du?
Mit wem?	Mit wem sprichst du?
Was?	Was ist los?
Was?	Was machst du?
Woran?	Woran denkst du?
Womit?	Womit spielst du?
Wo?	Wo wohnst du?
Wohin?	Wohin gehst du?
Woher?	Woher kommst du?
Wann?	Wann besuchst du mich?
Wie lange?	Wie lange bleibst du hier?
Wie oft?	Wie oft gehst du in der Woche ins Kino?
Seit wann?	Seit wann bist du in Deutschland?
Bis wann?	Bis wann bleibst du in Münster?
Um wie viel Uhr?	Um wie viel Uhr stehst du auf?
Warum?	Warum bist du nicht gekommen?
Weshalb?	Weshalb kommst du mit dem Taxi?
Weswegen?	Weswegen bist du böse?
Aus welchem Grunde?	Aus welchem Grunde hast du mir nicht geschrieben?
Wieso?	Wieso kommst du jetzt erst?
Wozu?	Wozu braucht man einen Staubsauger?
Wie?	Wie geht es dir?
Wie viel?	Wie viel Geld hast du noch?
Wie viele?	Wie viele Geschwister hast du?
Wie groß, hoch usw.?	Wie alt bist du?
Welch-?	Welches Buch gehört dir? (Das dicke oder das dünne?)
Was für (ein-)?	Was für ein Auto hast du? (Beschreib es mir!) (s. S. 60)

85. Stellen Sie Fragen!
1. Die Studentin kauft ein Buch.
   → *Was kauft die Studentin?*
2. Die Bananen kommen aus Panama.
   →
3. Die Schüler denken immer an die Ferien.
   →
4. Mustafa ist seit sechs Monaten in Deutschland.
   →
5. Wegen der Erkrankung des Pianisten muss das Konzert ausfallen.
   →
6. Sie schreibt mit der linken Hand.
   →
7. Morgen besucht uns unsere Vermieterin.
   →
8. Eva hat drei Brüder.
   →
9. Dieses Geschenk ist für meine Mutter.
   →
10. Der Gebrauchtwagen hat 3000 Euro gekostet.
    →
11. Ich habe meine Großeltern im letzten Jahr zweimal besucht.
    →
12. Alle haben sich über die gute Nachricht gefreut.
    →
13. Herr Kokavecz spricht mit großen Schwierigkeiten Deutsch.
    →
14. Der Unterricht dauert bis 13 Uhr.
    →
15. Peter hat sich einen sehr schicken Mantel gekauft.
    →
16. Dieses Fahrrad gehört Peter.
    →
17. Die Wintersachen müssen gereinigt werden.
    →
18. Der Fernsehturm ist 230 m hoch.
    →

4.4 Pronominale Formen der Artikel

	m	n	f		Pl.	
N	(^k_m)einer*	(-)ein(e)s*	(-)eine		welche	^k_m eine
A	(-)einen	(-)ein(e)s*	(-)eine		welche	^k_m eine
D	(-)einem	(-)einem	(-)einer		welchen	^k_m einen

*Diese Endungen unterscheiden sich von den Endungen des unbestimmten Artikels.

86. Setzen Sie die passenden Indefinitpronomen ein!
1. Hast du Groschen? – Ja, ich kann dir ___welche___ geben.
2. Ich suche ein Hotel. Können Sie mir _____ empfehlen?
3. Möchtest du eine Orange? – Ja, gib mir bitte _____!
4. Möchtest du Blutorangen? – Wir haben noch _____ da.
5. Ich habe keinen Stadtplan. – Dann schenke ich dir _____.
6. Haben Sie Reißverschlüsse? – Ja, wir haben _____.
7. Brauchst du ein Handtuch? Hier ist _____.
8. Kann ich alle Stifte wegpacken? – Nein, _____ muss liegen bleiben.

87. Setzen Sie passende Negativpronomen ein!
1. Ich habe ein Fahrrad, aber meine Freundin hat ___kein(e)s___.
2. Ich besitze einen Computer, aber mein Freund hat noch _____.
3. Draußen sitzen viele Leute, aber drinnen sitzen _____.
4. Peter hat ein Zimmer gefunden, aber ich habe noch _____ gefunden.
5. Ich habe noch ein paar Karteikarten, aber Peter hat _____ mehr.
6. Leihst du mir deine Schreibmaschine? Ich habe _____.
7. Haben Sie schon neue Kartoffeln? – Nein, wir haben noch _____.

88. Setzen Sie passende Possessivpronomen ein!
1. Ist das hier Peters Bleistift? – Ja, das ist ___seiner___.
2. Ist das hier Marias Heft? – Ja, das ist _____.
3. Ist das Ihre Grammatik, Herr Weinrich? – Ja, das ist _____.
4. Gehört dieses Haus deinen Eltern? – Ja, das ist _____.
5. Gehört der kleine Hund dort deiner Freundin? – Ja, das ist _____.
6. Benutz bitte nicht meinen Kamm! Nimm doch _____!
7. Soll ich dir mein Fahrrad leihen? – Nein, ich nehme lieber _____.
8. Warum steht euer Wagen vor unserer Tür? Ist vor _____ kein Platz?

5 Präpositionen

1. Präpositionen mit Akkusativ:

> *durch*, *für*, *gegen*, *ohne*, *um*

Er geht durch den Park.
Sie arbeitet für das Examen.
Das Auto ist gegen einen Baum gefahren.
Ohne ihren Bruder geht Leyla nicht in eine Diskothek.
Sie gehen um die Ecke.

2. Präpositionen mit Dativ:

> *aus*, *außer*, *bei*, *gegenüber*, *mit*, *nach*, *seit*, *von*, *zu*

Sie holt die Butter aus dem Kühlschrank.
Außer meiner Schwester habe ich keine Verwandten mehr.
Ich wohne bei der Familie Müller.
Das Geschäft liegt gegenüber dem Bahnhof / dem Bahnhof gegenüber.
Er kommt mit seiner Freundin.
Nach dem Unterricht gehen wir sofort nach Hause.
Ich lebe seit einem Jahr in Münster.
Sie kommt vom Bahnhof.
Sie geht zur Schule.

3. Präpositionen mit Genitiv:

> *aufgrund*, *außerhalb*, *innerhalb*, *statt*, *trotz*, *während*, *wegen*

Er ist aufgrund seiner Krankheit entlassen worden.
Besuchen Sie mich außerhalb der Sprechstunde.
Innerhalb eines Monats hat er sehr viel gelernt.
Er hat mir statt der Kassette eine CD mitgebracht.
Es hat auch während der Nacht geregnet.
Wegen finanzieller Schwierigkeiten hat er sein Studium abgebrochen.

4. Wechselpräpositionen mit Akkusativ oder Dativ:

> *an*, *auf*, *hinter*, *in*, *neben*, *über*, *unter*, *vor*, *zwischen*

mit Akkusativ	mit Dativ
Frage: *Wohin?*	Frage: *Wo?*
Ich hänge das Bild an die Wand.	Das Bild hängt an der Wand.
Er setzt sich auf den Stuhl.	Er sitzt auf dem Stuhl.
Er bringt das Fahrrad hinter das Haus.	Es steht jetzt hinter dem Haus.
Er legt das Brot in den Korb.	Das Brot liegt im Korb.
Er stellt das Bett neben die Tür.	Das Bett steht neben der Tür.
Ich hänge die Lampe über den Tisch.	Die Lampe hängt über dem Tisch.
Die Katze läuft unter das Bett.	Die Katze sitzt unter dem Bett.
Er stellt sich vor die Tür.	Er steht vor der Tür.
Ich stelle das Radio zwischen die Bücher und die Lampe.	Das Radio steht zwischen den Büchern und der Lampe.

89. *Setzen Sie die fehlenden Endungen der Artikel und Nomen ein!*

1. Die Sonne scheint durch d_____ Fenster.

2. Mein Freund arbeitet trotz sein_____ Krankheit.

3. Der Schrank steht zwischen d_____ Tür und d_____ Fenster.

4. Er lebt seit d_____ Tod seiner Frau ganz allein.

5. Ich habe nichts von d_____ Student_____ gehört.

6. Nimm doch einen Löffel statt d_____ Gabel!

7. Ich sitze d_____ Lehrerin gegenüber.

8. Stellen Sie das Fahrrad neben d_____ Tür!

9. Ohne d_____ Hilfe meines Vaters könnte ich nicht im Ausland studieren.

10. Stell bitte deine Schuhe unter d_____ Bett!

11. Sie hat sich für d_____ Blumen bedankt.

12. Er muss die Prüfung innerhalb ein_____ Jahr_____ ablegen.

13. Der Garten liegt hinter d_____ Haus.

14. Sind Sie mit d_____ Schuhe_____ zufrieden?

15. Sie dürfen während d_____ Unterricht_____ nicht rauchen.

16. Er hat nach d_____ Name_____ meines Vaters gefragt.

17. Ich habe vor d_____ Ferien keine Zeit mehr.

18. Sind Sie wegen d_____ Regen_____ zu Hause geblieben?

19. Hoffentlich hat er in d_____ Zukunft mehr Glück!

20. Die Regierung kämpft gegen d_____ Drogenhandel.

21. Der Bus fuhr über d_____ Brücke.

22. Ich habe ein Zimmer außerhalb d_____ Stadt gefunden.

23. Außer d_____ Wörterbuch habe ich keine Bücher mitgebracht.

24. Frau S. kommt aus d_____ USA, Herr D. kommt aus d_____ Türkei.

25. Er ging an d_____ Fenster und sah hinaus.

26. Aufgrund ein_____ Missverständnis_____ hat sie den Zug verpasst.

27. Der Spiegel hängt über d_____ Waschbecken.

28. Wir gehen heute Nachmittag in d_____ Museum.

29. Unser Nachbar hat seinen Kinderwagen vor d_____ Garage gestellt.

30. Schreiben Sie Ihren Namen bitte auf dies_____ Zettel!

5.1 Temporale Präpositionen

ab	*Ab* morgen haben wir Ferien.
an	Ich komme *am* Mittwoch.
	Die Prüfung findet *am* 12. Januar statt.
	Musst du *am* Abend arbeiten?
bei	Stör mich nicht *bei* der Arbeit!
bis	Er bleibt *bis* heute Abend bei uns.
bis zu	Er bleibt *bis zum* Abend bei uns.
gegen	Wir werden *gegen* Abend in Hamburg sein.
in	*In* der Nacht stellen wir die Heizung ab.
	Sie lebte *im* 20. Jahrhundert.
	Picasso wurde *im* Jahre 1881 geboren. (<u>Auch</u>: Picasso wurde 1881 geboren.)
	Ich gehe jetzt zum Einkaufen und bin *in* einer Stunde wieder zurück. (Zukunft!)
innerhalb	Die Prüfung musst du *innerhalb* eines Jahres schaffen.
nach	*Nach* dem Essen wasche ich mir die Hände.
um	Der Unterricht beginnt *um* 8 Uhr.
von ... bis	Der Unterricht dauert *von* 8 *bis* 13 Uhr.
während	*Während* des Spaziergangs haben wir uns unterhalten.
zwischen ... und	*Zwischen* dem 15. August *und* dem 5. September bin ich verreist.

<u>Beachten Sie:</u>

vor	Ich bin *vor* einem Jahr nach Münster gekommen. (Frage: Wann?)
seit	Ich lebe *seit* einem Jahr in Münster. (Frage: Seit wann?)

90. *Setzen Sie passende Präpositionen ein!*

1. Ich weiß nicht, ob ich die Arbeit ___*bis*___ morgen früh schaffe.

2. Wir machen gerne Urlaub _____ Winter.

3. Der nächste Sprachkurs beginnt erst _____ den Weihnachtsferien.

4. Wie lange seid ihr verheiratet? – Schon _____ sechs Jahren!

5. Was machst du _____ Wochenende?

6. Ich vermute, dass er _____ Mitternacht nach Hause gekommen ist.

7. Er ist sehr froh; sein Sohn hat_____ drei Wochen das Examen bestanden.

8. _____ einer Prüfung bin ich immer sehr nervös.

9. Wann willst du mit dem Studium fertig sein? – Ich denke, _____ 3 Jahren.

10. _____ unserer Ankunft in Münster suchen wir vergeblich nach einer Wohnung.

11. Der neue Mietpreis gilt _____ Januar des nächsten Jahres.

12. Der Sprachkurs läuft noch _____ 20. Dezember.

13. Wenn alles gut geht, werden wir euch _____ wenigen Monaten wiedersehen.

14. _____ ihrem schweren Unfall kann sie nicht mehr laufen.

91. Setzen Sie passende Präpositionen und Endungen ein!

1. _____ 7 Monaten ist Frau Kim _____ Korea _____ Deutschland gekommen. _____ ein____ halb____ Jahr wohnt sie jetzt _____ Münster. Zuerst hat sie Deutsch gelernt. _____ Morgen ging sie _____ Sprachenzentrum der Universität. _____ 8 Uhr begann der Unterricht und dauerte _____ 13 Uhr. _____ 13 und 14 Uhr gab es eine Mittagspause. _____ Nachmittag fand der Unterricht _____ 14 Uhr _____ 16.30 Uhr statt. Nur _____ Mittwoch gab es nachmittags keinen Unterricht. _____ d____ Unterricht ging sie _____ Hause und machte _____ d____ nächst____ Stunden ihre Hausaufgaben. Nach so viel Arbeit hat sie vor einem Monat die Sprachprüfung bestanden.

   _____ ein____ Monat arbeitet sie nun _____ ihr____ Fachstudium. _____ ein____ Jahr will sie _____ d____ Sommerferien _____ Korea fliegen, um ihre Familie zu besuchen.

2. _____ d____ hoh____ Mietpreise können sich nur noch reiche Leute eine Wohnung _____ Zentrum der Stadt leisten. Die Mieten liegen dort weit _____ d____ Durchschnitt. _____ d____ Stadtmitte sind die Wohnungen natürlich billiger.

   Aber _____ d____ hoh____ Mieten gibt es genügend Leute, die _____ Stadtzentrum ziehen möchten. _____ d____ Innenstadt dürfen _____ 3 Jahren _____ Bussen und Taxis keine Autos mehr fahren. Die Leute müssen also _____ ein____ Privatauto____ öffentliche Verkehrsmittel oder ein Fahrrad benutzen, wenn sie nicht _____ Fuß gehen wollen. Wer _____ d____ Nähe des Bahnhofs wohnt, kann _____ kurz____ Zeit den Bahnhof erreichen und dann _____ d____ Zug _____ ander____ Städte fahren.

   Ich selbst habe _____ ein____ kurz____ Zeit _____ d____ Stadt gewohnt, und zwar direkt _____ ein____ Kirche. Die Glocken läuteten jede volle Stunde, so dass ich _____ d____ Nacht niemals ruhig schlafen konnte. _____ d____ Lärm____ bin ich sehr schnell _____ dies____ Wohnung ausgezogen. Ich wohne jetzt _____ d____ Land.

6 Das Prädikat

6.1 Kongruenz von Subjekt und Prädikat

<u>Unsere Familie</u> (5 Personen!) *verbringt* die Ferien immer an der See.
Leider *sind* <u>die Ferien</u> viel zu kurz.
<u>Mein Bruder</u> **und** <u>meine Schwester</u> *schwimmen* sehr gerne.

- – Ein <u>Subjekt im Singular</u> verlangt ein *Prädikat im Singular.*
- – Ein <u>Subjekt im Plural</u> verlangt ein *Prädikat im Plural.*
- – <u>Einzelsubjekte</u>, die mit **und** verbunden sind, verlangen ein *Prädikat im Plural.*

92. Setzen Sie das zum Subjekt passende Prädikat bzw. die passende Personalform des Prädikats ein!

1. Unsere Sommerferien _sind_ in diesem Jahr kürzer als im letzten Jahr. (sein)

2. Unser Ski-Urlaub _____ nur 10 Tage. (dauern)

3. Die Bevölkerung _____ mit der Regierung unzufrieden. (sein)

4. Wegen der Kälte _____ die Leute zu Hause. (bleiben)

5. Ihm _____ Zeit und Geld für eine längere Reise. (fehlen)

6. Wenn ein schwerer Unfall passiert ist, _____ sofort die Polizei. (kommen)

7. Abends _____ die Familie vor dem Fernseher. (sitzen)

8. Heute Nachmittag _____ meine Schwester und ich ins Schwimmbad. (gehen)

9. Am Abend _____ mein Bruder mit(!) seiner Frau zu uns. (kommen)

10. Meinen Kindern _____ das Essen heute nicht. (schmecken)

11. Die Papiere _____ du nicht im Auto liegen lassen! (dürfen)

12. Ca. 15 % der Jugendlichen _____ arbeitslos. (sein)

13. Die Armee _____ die Bevölkerung schützen. (sollen)

14. Warum _____ das Obst in Deutschland teurer als in Marokko? (sein)

15. Etwa ein Drittel des Landes _____ Wüste. (sein)

16. _____ Peter oder Ida die Post abholen? (sollen)

17. Don Juan _____ die Frauen. (lieben)

18. Im Sprachkurs _____ man Leute aus der ganzen Welt kennen. (lernen)

19. Morgen _____ unsere Nachbarin und ihr Mann nach Berlin. (fahren)

20. Es _____ nicht alle Studenten Medizin studieren. (können)

6.2 Die Stellung des Prädikats in Hauptsätzen

6.2.1 Aussagesätze:

I	II	III		IV	V
Heute Nachmittag	*zeige*	ich		unserem Gast	die Altstadt.
Ich	*zeige*	unserem Gast	heute Nachmittag		die Altstadt.
Unserem Gast	*zeige*	ich		heute Nachmittag	die Altstadt.

❙ Im Aussagesatz steht das *Prädikat* auf Position II.

I	II	III	IV	V	E
Morgen früh	*werde*	ich	ihm	das Rathaus	*zeigen.*
Er	*hat*	es	noch nicht		*besichtigen können.*
Morgen Abend	*fliegt*	er	wieder	nach Rom	*zurück.*

❙❙ Wenn das *Prädikat* aus mehreren Teilen besteht, steht die **Personalform** auf Position II; die *übrigen Prädikatsteile* stehen am Ende des Satzes (E).

6.2.2 Fragesätze:

W-Fragesätze:

I	II		E
Wer	*zeigt*	unserem Gast	das Rathaus?
Wann	*fliegt*	er	nach Rom *zurück?*

❙ In der *w*-Frage steht das *Prädikat* bzw. die **Personalform** des Prädikats auf Position II; die *übrigen Prädikatsteile* stehen am Ende des Satzes.

JA / NEIN-Fragesätze:

I				E
Zeigst	du	eurem Gast	heute Nachmittag	die Altstadt?
Hast	du	ihm	schon	das Rathaus *gezeigt?*

❙❙ In der JA/NEIN-Frage steht das *Prädikat* bzw. die **Personalform** des Prädikats auf Position I; die *übrigen Prädikatsteile* stehen am Ende des Satzes.

6.2.3 Imperativsätze:

I				E
Zeig	mir	bitte	die Altstadt!	
Bringen Sie	mich	bitte	ins Hotel	*zurück!*

❙❙ Im Imperativsatz steht das *Prädikat* bzw. die **Personalform** des Prädikats auf Position I; die *übrigen Prädikatsteile* stehen am Ende des Satzes.

93. *Bilden Sie Sätze und beginnen Sie mit dem unterstrichenen Satzglied!*

1. ich, aufstehen, <u>jeden Morgen</u>, um 6 Uhr
   → *Jeden Morgen stehe ich um 6 Uhr auf.*

2. <u>ich</u>, brauchen, keinen Wecker
   →

3. ich, wach werden, <u>immer</u>, von selbst
   →

4. ich, gehen, ins Badezimmer, <u>zuerst</u>
   →

5. ich, sich waschen, <u>dort</u>
   →

6. ich, putzen, mir, die Zähne, <u>danach</u>
   →

7. ich, sich kämmen, <u>dann</u>
   →

8. ich, sich <u>anziehen</u>, <u>danach</u>   *dress*
   →

9. ich, gehen, in die Küche, <u>jetzt</u>
   →

10. ich, vorbereiten, das Frühstück, <u>dort</u>
    →

11. ich, essen, Brot mit Butter und Marmelade, <u>meistens</u>
    →

12. ich, trinken, Kaffee oder Tee, <u>dazu</u>
    →

13. ich, verlassen, das Haus, <u>nach dem Frühstück</u>
    →

14. <u>ich</u>, gehen, zum Bahnhof
    →

15. mein Zug, fahren, nach Münster, <u>um 7.10 Uhr</u>
    →

16. ich, lesen, die Zeitung, <u>während der Fahrt</u>
    →

17. der Zug, ankommen, in Münster, <u>endlich</u>
    →

18. ich, zu Fuß gehen, <u>vom Bahnhof zur Universität</u>, nun
    →

19. ich, sein, im Kursraum, <u>kurz vor 8 Uhr</u>
    →

20. der Unterricht, beginnen können, <u>jetzt</u>
    →

94. Verändern Sie die Stellung der Satzglieder! Beginnen Sie mit dem unterstrichenen Satzglied!

1. Wir schlafen <u>sonntags</u> immer sehr lange.
   → *Sonntags* schlafen wir immer sehr lange.
2. Wir verzichten <u>auf das Frühstück</u>.
   →   *give up*

3. Unsere beiden Kinder schlafen <u>meistens</u> noch länger als wir.

   →

4. Es gibt <u>gegen 12 Uhr</u> ein gutes Essen für die ganze Familie.

   →

5. Mein Mann und ich machen <u>danach</u> eine Fahrradtour.

   →

6. Unsere Kinder fahren <u>nur sehr selten</u> mit.

   →

7. Sie sind <u>meistens</u> mit Freunden verabredet.

   →   *appt.*

8. Wir besuchen <u>am Nachmittag</u> oft meine Eltern.

   →

9. Es gibt dort <u>zum Kaffee</u> selbstgebackenen Kuchen.

   →

10. Ein Fußballspiel findet manchmal <u>auf dem Sportplatz in unserer Nähe</u> statt.

    →

11. Viele Leute gehen <u>dorthin</u>.

    →

12. Wir essen <u>abends</u> nur Brot mit Wurst und Käse.

    →

13. Wir trinken <u>dazu</u> meistens Tee.

    →

14. Wir gehen <u>am Sonntagabend</u> gerne ins Theater oder ins Kino.

    →

15. Wir verbringen unseren Sonntag <u>so</u>.

    →   *spend*

der Termin
einen Termin machen
haben

6.3 Die Stellung des Prädikats in Nebensätzen

Sie möchte,   dass ich ihr heute Nachmittag die Altstadt *zeige.*
Sie hofft auch, dass ich ihr morgen das Rathaus *zeigen **kann**.*
Ich weiß nicht, ob sie morgen Abend wieder nach Rom *zurück**fliegt**.*
Ich weiß nicht, wann sie *wieder**kommt**.*

Im Nebensatz steht das *Prädikat* am Satzende.
Die ***Personalform*** steht an letzter Stelle.

95. *Übung zur Nebensatzbildung!*
1. Ich habe ein Zimmer in einem Studentenheim gefunden.
2. Dort zieht eine Griechin aus.
3. Ich kann Anfang Oktober einziehen.
4. Das Zimmer liegt im 3. Stock.
5. Es gibt eine Etagen-Küche für 12 Leute.
6. Das Zimmer wird einmal in der Woche geputzt.
7. Die Miete muss im Voraus gezahlt werden.
8. Vom Studentenheim zum Stadtzentrum sind es ca. 3 km.
9. Ich nehme ab Oktober an einem Sprachkurs teil.
10. Der Sprachkurs findet im SPRACHENZENTRUM statt.
11. Hast du schon ein Zimmer gefunden?
12. Wo liegt das Zimmer?
13. Wie viel Miete musst du dafür zahlen?
14. Ist das Zimmer möbliert?
15. Wann ziehst du ein?

Habe ich dir schon erzählt,
  (1.) *dass ich ein Zimmer in einem Studentenheim gefunden habe?*
  (2.) *dass* ....?
  (3.) *dass* ....?
  (4.) *dass* ....?
  (5.) *dass* ....?
  (6.) *dass* ....?
  (7.) *dass* ....?
  (8.) *dass* ....?
  (9.) *dass* ....?
(10.) *dass* ....?
(11.) *Sag mir, ob* ....
(12.) *Sag mir,* ....
(13.) *Sag mir,* ....
(14.) *Sag mir,* ....
(15.) *Sag mir,* ....

7 Ergänzungen

Die Eltern	schenken	*ihrem Sohn*	*ein Fahrrad.*
Herr Meier	schenkt	*seiner Tochter*	*einen Computer.*
(WER?)		**(WEM?)**	**(WAS?)**

Peter	liegt	*im Bett.*
Köln	liegt	*am Rhein.*
(WER? WAS?)		**(WO?)**

Ich	interessiere mich	*für Briefmarken.*
Meine Freundin	interessiert sich	*für moderne Architektur.*
(WER?)		**(WOFÜR?)**

- Wenn man ein bestimmtes Verb benutzt, muss man ganz bestimmte weitere Satzglieder benutzen. Diese *vom Verb abhängigen* Satzglieder heißen **Ergänzungen**. (s. auch S. 157)
- Häufige Ergänzungen sind:

Nominativ-Ergänzung (*oder* **Subjekt**)	Frage: **WER? WAS?**
Akkusativ-Ergänzung	Frage: **WEN? WAS?**
Dativ-Ergänzung	Frage: **WEM?**
Situativ-Ergänzung	Frage: **WO?**
Direktiv-Ergänzung	Frage: **WOHIN? WOHER?**
Präpositional-Ergänzung	Frage: **WOFÜR?** (**WOMIT?** **WORAN?** usw.)

Die Nominativ-Ergänzung (= Subjekt)

Die Eltern schenken ihrem Sohn ein Fahrrad.
Diese Frau habe **ich** noch nie gesehen.
Im „Schlosstheater" läuft **ein interessanter Film**.

- Die meisten Sätze haben ein **Subjekt**. (Frage: **WER? WAS?**)
- Zwischen Subjekt und Prädikat besteht **Kongruenz**, d. h. *Person* (1., 2. oder 3.) und *Numerus* (Singular oder Plural) sind jeweils gleich. (s. S. 83)

96. Unterstreichen Sie das Subjekt!
1. <u>Katrin</u> hat ihre Eltern seit langer Zeit nicht gesehen.
2. Gestern brachte die Post mir ein Paket.
3. Sein altes Auto hat Herr Marx noch nicht verkaufen können.
4. An dieser Kreuzung ereignen sich immer wieder Unfälle.
5. Dieser schöne alte Schrank gehört Gerda.
6. Peter liebt Maria.
7. Hoffentlich gelingt dir alles!
8. Ich bin mit einem Freund ins Kino gegangen.
9. Am Abendhimmel sieht man schon einige Sterne.
10. Auf dem Marktplatz sind ein Motorradfahrer und ein Radfahrer zusammengestoßen.

7.2 Verben mit Akkusativ-Ergänzung

97. Bilden Sie Sätze im Perfekt!

1. anrufen: ich, Eltern → *Ich habe meine Eltern angerufen.*

2. backen: Herr Meier, Kuchen →

3. bauen: mein Bruder, Haus →

4. begrüßen: Direktorin, Kollege →

5. besuchen: Peter, Onkel →

6. bezahlen: du, Rechnung? →

7. bilden: Student, Satz →

8. brauchen: ich, viel Geld →

9. essen: Kinder, Brötchen →

10. finden: Eva, Schlüssel →

11. fragen: Tourist, Radfahrer, nach dem Weg →

12. es gibt: in Folrida wieder, Sturm →

13. haben: wir, Glück →

14. holen: ihr, Fahrrad, aus dem Keller →

15. kennen: Studenten, Professorin →

16. kennen lernen: du, dein Mann, wo? →

17. kochen: Katja, Suppe →

18. lesen: ich, Roman →

19. nehmen: Patient, Medikament →

20. öffnen: Herr Meier, Haustür →

21. schließen: du, Fenster? →

22. sehen: wir, Film →

23. trinken: Frau Müller, Glas Wein →

24. übersetzen: Studenten, Text →

25. untersuchen: Ärztin, Patient →

26. vergessen: Lehrer, Name der Schülerin →

27. verstehen: ich, Regel →

28. wiederholen: Eva, Satz →

7.3 Verben mit Dativ-Ergänzung

begegnen	Ich bin *meiner Kollegin* am Bahnhof begegnet.
danken	Ich danke *Ihnen* für das schöne Geschenk.
einfallen	Wie heißt die Frau dort? *Mir* fällt ihr Name nicht ein.
folgen	Ein Jahr später folgte der Sohn *seinem Vater* ins Ausland.
gefallen	Inge war in Rom; die Stadt hat *ihr* gefallen.
gehören	*Wem* gehört dieser Mantel hier?
gehorchen	Die Eltern verlangen, dass ihre Kinder *ihnen* gehorchen.
gelingen	Leider ist es *mir* nicht gelungen, die Prüfung zu bestehen.
gratulieren	Wir gratulieren *unserer Kollegin* zum Geburtstag.
helfen	Soll ich *dir* bei den Hausaufgaben helfen?
sich nähern	Der Zug nähert sich langsam *dem Bahnhof*.
nützen	Seine Englisch-Kenntnisse haben *ihm* auf der Reise genützt.
schaden	Rauchen schadet der *Gesundheit*.
schmecken	Ich mag keine grünen Tomaten. Sie schmecken *mir* nicht.
schwer fallen	Otto wiederholt den Kurs; das Lernen fällt *ihm* schwer.
zuhören	Die Mutter erzählt ein Märchen; die Kinder hören *ihr* aufmerksam zu.
zustimmen	Auch die Opposition stimmt *dem Plan der Regierung* zu.

7.4 Verben mit Akkusativ-Ergänzung + Dativ-Ergänzung

98. Bilden Sie Sätze!

anbieten   → *Ich biete meinem Gast eine Tasse Tee an.*

mitbringen   →

diktieren   →

empfehlen   →

erlauben   →

geben   →

leihen   →

mitteilen   →

schenken   →

verbieten   →

versprechen   →

vorlesen   →

wegnehmen   →

zeigen   →

99. *Ergänzen Sie die Endungen!*

1. Der Professor fragt d*ie* Studentin nach ihrem Namen.

2. Der Arzt hat sein____ Patientin d____ Rauchen verboten.

3. Hoffentlich gelingt es dein____ Vater bald, ein____ Arbeitsstelle zu finden.

4. Ich rufe mein____ Eltern meistens am Wochenende an.

5. Es ist mein____ Schwester rechtzeitig eingefallen, dass sie ihr____ Freundin vom Bahnhof abholen sollte.

6. Im Fernsehen gab es gestern Abend ein____ Film von Fritz Lang.

7. Das Reisebüro hat d____ Touristen d____ Bahnhofshotel empfohlen.

8. Wo hast du dies____ Frauen kennengelernt?

9. Die Großmutter liest ihr____ Enkelkinder____ ein____ Geschichte vor.

10. Die Ärztin hat d____ Kind sofort untersucht.

11. Radioaktivität schadet d____ Menschen, d____ Tieren und d____ Pflanzen.

12. Warum hilfst du dein____ Tante nicht beim Koffertragen?

13. Ich kann dein____ Frage nicht beantworten.

14. Eva hat ihr____ Freundinnen ihr____ Wohnung gezeigt.

15. Der Zirkusclown gefiel d____ Kinder____ sehr.

16. Bitte wiederholen Sie d____ Satz!

17. Wir erlauben unser____ Nachbar____, unser____ Rasenmäher zu benutzen.

18. Nach meiner Ankunft habe ich mein____ Eltern ein____ Telegramm geschickt.

19. Frau Heitmann hat ihr____ Mann ein____ Reiseführer geschenkt.

20. Wenn es sehr kalt ist, schließe ich d____ Tür und all____ Fenster.

21. Warum hast du dein____ Tochter kein____ Geschenk mitgebracht?

22. Wir danken unser____ Gastgeber____ für ihre Einladung

23. Die Studenten hörten d____ Erklärungen des Professors interessiert zu.

24. Hast du d____ Glocken der Kirche gehört?

25. Ich glaube, dass dieses Buch d____ Lehrer gehört.

7.5 Verben mit Situativ-Ergänzung

liegen	Das Buch liegt <u>auf dem Tisch</u>.
stehen	Das Auto steht <u>in der Garage</u>.
sitzen	Das Kind sitzt <u>auf dem Stuhl</u>.
hängen	Das Bild hängt <u>an der Wand</u>.
stecken	Der Schlüssel steckt <u>im Schloss</u>.
kleben	Die Briefmarke klebt <u>auf dem Brief</u>.
sein	Ich bin <u>im Garten</u>.
sich befinden	Unsere Wohnung befindet sich <u>im 3. Stock</u>.
befestigt sein	Die Lampe ist <u>an der Decke</u> befestigt.
wohnen	Er wohnt <u>bei seinen Eltern</u>.
bleiben	Heute bleibe ich <u>zu Hause</u>.
stattfinden	Der Vortrag findet <u>im Hörsaal A</u> statt.

7.6 Verben mit Akkusativ-Ergänzung + Direktiv-Ergänzung

legen	Ich lege <u>das Buch</u> <u>auf den Tisch</u>.
stellen	Ich stelle <u>das Auto</u> <u>in die Garage</u>.
setzen	Ich setze <u>das Kind</u> <u>auf den Stuhl</u>.
hängen	Ich hänge <u>das Bild</u> <u>an die Wand</u>.
stecken	Ich stecke <u>den Schlüssel</u> <u>in das Schloss</u>.
kleben	Ich klebe <u>die Briefmarke</u> <u>auf den Brief</u>.
bringen	Sie bringt <u>das Kind</u> <u>in den Kindergarten</u>.
gießen	Bitte gießen Sie <u>noch etwas Tee</u> <u>in die Tasse</u>!
laden	Er lädt <u>das Gepäck</u> <u>ins Auto</u>.
leiten	Die Fabrik leitet <u>die Abwässer</u> <u>in den Fluss</u>.
packen	Sie packt <u>ihre Kleider</u> <u>in den Koffer</u>.
schicken	Ich schicke <u>das Kind</u> <u>zur Schule</u>.
schieben	Wir schieben <u>den Schrank</u> <u>an die Wand</u>.
tragen	Wir tragen <u>den Tisch</u> <u>auf die Terrasse</u>.
transportieren	Ich transportiere <u>die Möbel</u> <u>in die neue Wohnung</u>.
werfen	Ich werfe <u>den Ball</u> <u>in die Luft</u>.

7.7 Verben mit Direktiv-Ergänzung

gehen	Ich gehe <u>zum Augenarzt</u>.
eilen	Sie eilt <u>ins Büro</u>.
fahren	Wir fahren <u>an die See</u>.
fliegen	Er fliegt <u>nach Portugal</u>.
gelangen	<u>Auf kleine Inseln</u> gelangt man nur mit dem Schiff.
kommen	Heute kommen unsere Nachbarn <u>zu uns</u>.
laufen	Ich laufe schnell <u>zum Bäcker</u>.
rennen	Das Kind rennt <u>nach Hause</u>.
springen	Er springt <u>über eine Mauer</u>.
steigen	Wir steigen <u>auf einen hohen Berg</u>.
ziehen	Sie zieht im Dezember <u>nach Köln</u>.

100. Situativ-Ergänzung oder Direktiv-Ergänzung?
    Ergänzen Sie die Endungen und formen Sie die Sätze ins Präteritum
    und ins Perfekt um!

SitE: WO?				DirE: WOHIN?	
liegen	(a - e)		an, auf	legen A	(-)
stehen	(a - a)		hinter, in	stellen A	(-)
sitzen	(a - e)	+ Dat. ←	neben, über	setzen A	(-)
hängen	(i - a)		unter, vor	+ Akk. → hängen A	(-)
stecken	(-)		zwischen	stecken A	(-)

1. Die Bücher liegen auf d*em* Tisch.
   → *Die Bücher lagen auf dem Tisch.*
   → *Die Bücher haben auf dem Tisch gelegen.*

2. Das Auto steht auf d____ Straße.

   → *Das Auto ...*

   → *Das Auto ...*

3. Die Kinder sitzen auf ein____ Bank.

   → *Die Kinder ...*

   → *Die Kinder ...*

4. Das Handtuch hängt neben d____ Waschbecken.

   → *Das Handtuch ...*

   → *Das Handtuch ...*

5. Das Geld steckt in d____ Portemonnaie.

   → *Das Geld ...*

   → *Das Geld ...*

6. Ich lege den Kugelschreiber neben d____ Buch.

   → *Ich ...*

   → *Ich ...*

7. Wir stellen das Radio auf d____ Tisch.

   → *Wir ...*

   → *Wir ...*

8. Sie setzt sich in ihr____ Auto.

   → *Sie ...*

   → *Sie ...*

9. Er hängt seinen Mantel an d____ Haken.

   → *Er ...*

   → *Er ...*

10. Sie steckt den Schlüssel in ihr____ Tasche.

   → *Sie ...*

101. Ergänzen Sie Präpositionen, Artikel und – wenn nötig – Endungen!

1. Ich gehe _in das_ Zimmer, _____ Klasse, _____ Arzt, _____

    mein____ Freund, _____ Kino, _____ Schule, _____ Hause.

2. Ich fliege _____ Marokko, _____ Türkei, _____ mein____

    Heimat, _____ London, _____ USA, _____ Bundesrepublik.

3. Ich sitze _____ ein____ Stuhl.

4. Der Schornsteinfeger steigt _____ d____ Dach.

5. Wir befinden uns _____ Schwierigkeiten.

6. Sie sprang _____ Wasser.

7. Bleibst du _____ dein____ Wohnung?

8. Sie sitzt lieber _____ Schatten als _____ Sonne.

9. Wenn das Haus brennt, muss man _____ Straße rennen.

10. Während des Studiums konnte ich _____ mein____ Tante wohnen.

11. Ich stelle _____ Radio _____ Schreibtisch.

12. Ich hänge _____ Jacke _____ Haken.

13. Ich schiebe _____ Sessel _____ Ecke des Zimmers.

14. Ich stecke _____ Stecker _____ Steckdose.

15. Ich werfe _____ Stein _____ Wasser.

16. Ich bringe _____ Koffer _____ Bahnhof.

17. Ich setze mich _____ Bank.

102. Setzen Sie die passende Verbform ein!
(hängen (2), legen, liegen, packen, setzen, sitzen, stecken, stehen, stellen)

1. Ich habe den Schlüssel in meine Hosentasche _gesteckt_.

2. Hast du den ganzen Abend vor dem Fernseher _____?

3. Wir haben den Teppich auf den Boden _____.

4. Sie hat die Geschenke in ein Paket _____.

5. Ich habe meinen Mantel in den Schrank _____.

6. Habt ihr in einem bequemen Bett _____?

7. Er hat lange auf dem Bahnsteig _____ und auf den Zug gewartet.

8. Ich habe die Schuhe vor die Tür _____.

9. Ich habe unser Kind auf einen Kinderstuhl _____.

10. An dieser Wand hat lange ein Bild von Picasso _____.

103. Ergänzen Sie – wo nötig – die Endungen!

1. D*er* Schüler hat d*ie* Lösung d*er* Aufgabe nicht gefunden.

2. Kein____ Ausländer versteht d____ Vorlesungen dies____ Professor____.

3. D____ Professor bittet sein____ Assistent____ um ein____ Kugelschreiber.

4. D____ Student____ ist d____ Übersetzung d____ Text____ nicht gelungen.

5. Aus welch____ Grund bietest du dein____ Gäste____ kein____ Kaffee an?

6. D____ Studentenheim an d____ Goethestraße hat ein____ Mensa.

7. Welch____ Demonstrantin hat d____ Auto d____ Polizist____ beschädigt?

8. Ich bin mit mein____ Bruder und sein____ Frau an d____ Nordsee gewesen.

9. Dies____ Kleid gehört d____ Frau ein____ Diplomat____.

10. Welch____ Student____ hast du mein____ Wörterbuch gegeben?

11. Petra hat ihr____ Eltern aus d____ Ferien ein____ Geschenk mitgebracht.

12. Ich habe d____ Türke____ aus d____ A-Kurs lange für ein____ Iraner gehalten.

13. Welch____ Arzt hat dies____ Patient____ solch____ Tabletten verschrieben?

14. Frau Maier hat ihr____ Sohn ein____ Auto gekauft.

15. In d____ Nacht habe ich kein____ Mensch____ auf d____ Straße gesehen.

16. D____ Tourist hat d____ Geld auf d____ Bank gewechselt.

17. Hat dein____ Vater eur____ Nachbar____ d____ Parken vor eur____ Garage erlaubt?

18. D____ Name____ all____ Hausbewohner stehen auf dies____ Liste.

19. Auf dies____ Foto siehst du ein____ Affe____ mit ein____ Banane in d____ Hand.

104. Ergänzen Sie!

D*er* Preisunterschied

Ei____ Dame wollte sich ei____ Papagei kaufen, ging in ei____ Zoogeschäft und fragte: „Was kostet d____ Papagei dort?" „500 Mark", antwortete d____ Verkäufer, „er kann sprechen!" – D____ Dame war d____ Preis zu hoch. Sie zeigte auf ei____ anderen Papagei und fragte d____ Mann nach d____ Preis. „700 Mark", war d____ Antwort. „Warum ist d____ so teuer? Er ist sehr klein!", sagte d____ Kundin. „Er spricht Deutsch, Englisch und Türkisch", sagte d____ Verkäufer zu d____ Dame. In ei____ Ecke entdeckte sie noch ei____ Papagei; dies____ Tier war ganz schwarz. „Wieviel?", fragte d____ Kundin. „1000 Mark!" „Was?", rief d____ Frau, „warum ist dies____ Vogel so teuer? Welch____ Sprachen spricht er denn?" „Er spricht gar nicht, aber d____ anderen sagen ‚Chef' zu ihm!", war d____ Auskunft d____ Verkäufers.

7.8 Verben mit Präpositional-Ergänzung

an_D	erkennen *A*	Man kann sie an ihrer Stimme erkennen.
	es fehlt (*D*)	Es fehlt uns an Geld
	leiden	Er leidet an einer schweren Krankheit (→ unter)
	es liegt	Es lag am Wetter, dass wir nicht kommen konnten.
	sterben	Die alte Frau starb an Krebs.
	teilnehmen	Wir nehmen am Sprachkurs teil.
	zweifeln	Ich zweifle an seiner Ehrlichkeit.
an_A	denken	Ich denke oft an meine Kindheit.
	sich erinnern	Ich erinnere mich gern an die Ferien.
	sich gewöhnen	Wir müssen uns an das schlechte Wetter gewöhnen.
	glauben	Glauben Sie an den Fortschritt?
	sich wenden	Ich wende mich wegen der Miete an das Sozialamt. (→ gegen)
auf_A	achten	Der Busfahrer hat nicht auf den Gegenverkehr geachtet.
	antworten	Ich habe sofort auf seinen Brief geantwortet.
	sich freuen	Wir freuen uns schon auf die nächsten Ferien. (→ über)
	hoffen	Wir hoffen auf schnelle Hilfe.
	es kommt an	Es kommt jetzt auf eine schnelle Hilfe an.
	sich konzentrieren	Wir konzentrieren uns auf ein einziges Problem.
	sich spezialisieren	Die Firma hat sich auf die Produktion von Ersatzteilen spezialisiert.
	stoßen	Bei der Lektüre bin ich auf ein interessantes Problem gestoßen.
	sich verlassen	Wir können uns immer auf unseren Freund verlassen.
	verzichten	Der Arzt hat auf das Honorar verzichtet.
	sich vorbereiten	Wir bereiten uns auf die Prüfung vor.
	warten	Wir warten auf gutes Wetter.
aus	bestehen	Unsere Wohnung besteht aus 4 Räumen.
bei	sich bedanken (für)	Ich möchte mich bei Ihnen für die Hilfe bedanken.
	sich beschweren (über)	Er beschwert sich bei der Chefin über die Kollegen.
	sich entschuldigen (für)	Er entschuldigt sich bei den Nachbarn für den Krach.
für	sich bedanken (bei)	Ich bedanke mich für das Geschenk.
	danken (*D*)	Ich danke ihm für seine Hilfe.
	eintreten	Ich trete für die Verkürzung der Schulzeit ein.
	sich entscheiden	Tee oder Kaffee? – Ich habe mich für Tee entschieden.
	sich entschuldigen (bei)	Er entschuldigte sich für seine Verspätung. (auch: wegen seiner V.)
	halten *A*	Ich habe den Türken Ali K. lange Zeit für einen Griechen gehalten.
	sich interessieren	Interessierst du dich für Politik?
	kämpfen	Sie kämpfen für die Gleichberechtigung der Frauen. (→ gegen)
	sorgen	Die Eltern sorgen gut für ihre Kinder.
gegen	kämpfen	Wir müssen gegen die Armut kämpfen. (→ für)
	protestieren	Die Schüler protestieren gegen die Fahrpreiserhöhung.
	verstoßen	Sie hat gegen das Gesetz verstoßen.

	sich wenden	Ich wende mich gegen die falschen Vorwürfe. (→ an)
in*D*	sich irren	Er hat sich im Datum geirrt.
mit	anfangen	Wir fangen mit der ersten Seite an.
	aufhören	Wir hören mit der Diskussion auf.
	sich befassen	Wir haben uns lange mit diesem Thema befasst.
	beginnen	Wir beginnen mit einer Wiederholung.
	sich beschäftigen	Wir beschäftigen uns mit moderner Musik.
	handeln	Mein Freund handelt mit Gebrauchtwagen.
	vergleichen *A*	Er vergleicht Münster mit seiner Heimatstadt.
	verwechseln *A*	Ich habe sie mit ihrer Schwester verwechselt.
	zusammenstoßen	Das Auto stieß mit dem Zug zusammen.
nach	sich erkundigen	Wir erkundigen uns nach der Abfahrt des Zuges.
	fragen *A*	Der Tourist fragte einen Polizisten nach dem Weg.
über*A*	sich ärgern	Ich ärgere mich über meine Fehler.
	sich aufregen	Ich rege mich über meinen Nachbarn auf.
	berichten	Die Zeugin berichtet über den Unfall.
	sich beschweren (bei)	Der Nachbar beschwert sich über den Lärm.
	diskutieren (mit)	Die Studenten diskutieren gerne über Politik.
	sich freuen	Ich freue mich über das Geschenk. (→ auf)
	sich informieren	Wir informieren uns über den Kurs des Dollars.
	klagen	Der Kranke klagt über Schmerzen im Rücken.
	lachen	Über diesen Witz kann ich nicht lachen.
	nachdenken	Ich muss über das Problem nachdenken
	sprechen (mit)	Wir haben über seine Studienpläne gesprochen.
	sich unterhalten	Worüber habt ihr euch unterhalten?
	sich wundern	Ich wundere mich über die hohen Preise.
um	sich bemühen	Ich bemühe mich seit langem um ein Zimmer.
	sich bewerben	Sie bewirbt sich um einen besseren Arbeitsplatz.
	bitten (*A*)	Er hat mich um Geld gebeten.
	es geht	In diesem Text geht es um die Arbeitslosigkeit.
	es handelt sich	Bei dem Verletzten handelt es sich um einen alten Mann.
	sich sorgen	Er sorgt sich um die Gesundheit seines Kindes.
	trauern	Wir trauern um den toten Freund.
unter*D*	leiden	Er leidet sehr unter dem schlechten Wetter. (→ an)
von	abhängen	Meine Laune hängt vom Wetter ab.
	sich trennen	Sie hat sich jetzt von ihrem Mann getrennt.
	sich unterscheiden	Er unterscheidet sich gar nicht von seinem Zwillingsbruder.
	sich verabschieden	Ich möchte mich von Ihnen verabschieden.
vor*D*	fliehen	Der Autodieb ist vor der Polizei geflohen.
	sich fürchten	Die Kinder fürchten sich vor dem Gewitter.
	schützen *A*	Die Eltern schützen ihre Kinder vor Gefahren.
	warnen *A*	Ich warne dich vor der Gefährlichkeit dieses Experiments.
zu	sich entschließen	Wir haben uns zur Abreise entschlossen.
	gehören	Es gehört zu meinen Aufgaben, Protokoll zu führen.
	gratulieren (*D*)	Ich gratuliere dir zum Geburtstag.
	überreden *A*	Ich möchte euch zum Mitkommen überreden.

105. Ergänzen Sie Präpositionen und – wenn nötig – Endungen!

1. Wir müssen uns _____ d____ Reise nach Prag vorbereiten.

2. Ich habe mich _____ d____ billigst____ Zimmer entschieden.

3. Seit wann leidest du _____ Bronchitis?

4. Wir müssen _____ d____ Terrorismus kämpfen.

5. Die Gewerkschaft kämpft _____ besser____ Arbeitsbedingungen.

6. Ich hoffe _____ ein____ Lottogewinn.

7. Denkst du auch oft _____ dein____ Familie?

8. Ich beschwere mich _____ d____ Kellner _____ d____ kalt____ Essen.

9. Meine Freundin interessiert sich nur noch _____ d____ neust____ Mode.

10. Ich habe mich _____ sein____ leis____ Sprechen gewöhnt.

11. Ich bedanke mich _____ mein____ Eltern _____ ihr____ Hilfe.

12. Erinnerst du dich noch _____ unser____ alt____ Mathematiklehrerin?

13. Die Bürger der Stadt protestieren _____ d____ Schließung des Museums.

14. Ich danke Ihnen _____ Ihr____ Gastfreundschaft!

15. Er entschuldigte sich _____ sein____ Nachbarn _____ sein____ un-höflich____ Verhalten.

16. Weißt du, _____ welch____ Krankheit Herr Fischer gestorben ist?

17. Bitte antworten Sie _____ mein____ Frage!

18. Glaubst du _____ Wunder?

19. Ich zweifle oft _____ sein____ Verstand.

20. Der Politiker wollte nicht _____ d____ Fernseh-Diskussion teilnehmen.

21. Der Roman besteht _____ vier Teilen.

22. Ich muss _____ mein____ jünger____ Geschwister sorgen.

23. Ich warte _____ mein____ Freunde.

24. Für den Bau der Fabrik fehlt es _____ Fachleuten.

25. Sie hat _____ d____ Essen verzichtet.

26. Kann ich mich _____ Ihr____ Hilfe verlassen?

27. Bitte wenden Sie sich _____ d____ Auskunft!

28. Du erkennst Peter sofort _____ sein____ laut____ Lachen.

106. Ergänzen Sie Präpositionen und – wenn nötig – Endungen!

1. Ich habe _____ dein____ Vorschlag nachgedacht.

2. Viele Studenten fürchten sich _____ d____ Sprachprüfung.

3. Gehört ein Diktat _____ d____ Aufnahmeprüfung?

4. Ein Radfahrer ist _____ ein____ Motorradfahrerin zusammengestoßen.

5. Darf ich Sie _____ Ihr____ Reisepläne____ fragen?

6. Die Bevölkerung flieht _____ d____ feindlich____ Armee in die Berge.

7. Ich diskutiere _____ mein____ Freundin oft _____ politisch____ Themen.

8. Das Kabinett beschäftigt sich heute _____ außenpolitisch____ Probleme____.

9. Ich unterhalte mich _____ mein____ Eltern _____ d____ Finanzierung meines Studiums.

10. Die Polizei warnt die Besucher der Altstadt _____ Taschendiebe____.

11. Wir fangen um 8.15 Uhr _____ d____ Unterricht an.

12. _____ solch____ Witze kann ich nicht lachen!

13. Jeder versucht, sein Eigentum _____ Diebe____ zu schützen.

14. Petra trennte sich am Bahnhof _____ ihr____ Freunde____.

15. Unser alter Nachbar trauert _____ sein____ verstorben____ Frau.

16. Ich habe mich im Reisebüro _____ Flugmöglichkeiten nach Rom informiert.

17. Heute habe ich schon um 16 Uhr _____ d____ Arbeit aufgehört.

18. Ich ärgere mich _____ rücksichtslos____ Autofahrer.

19. Ich gratuliere dir _____ dein____ schön____ neu____ Auto!

20. Das Konzert begann _____ ein____ Sinfonie von Mozart.

21. Die Bezahlung hängt _____ d____ Stundenzahl ab.

22. Der Lehrer regt sich sehr _____ d____ faul____ Schüler auf.

23. Ich habe mich sehr _____ dein____ Geschenk gefreut.

24. Es geht hier _____ ein____ sehr wichtig____ Frage.

25. Sie überredete ihren Freund _____ d____ Kauf eines Autos.

26. Ich habe sie _____ ihr____ Kusine verwechselt, die ihr sehr ähnlich ist.

27. Er unterscheidet sich _____ sein____ Bruder durch seinen Fleiß.

28. Meine Kollegen sprechen nur noch _____ ihr____ Arbeit.

107. Ergänzen Sie Präpositionen und – wenn nötig – Endungen!

1. Warum halten Sie Frau Kim _____ ein____ Chinesin?

2. Mein Vater ist Kaufmann; er handelt _____ Teppiche____.

3. Ich freue mich _____ d____ nächst____ Urlaub.

4. Ich wundere mich _____ d____ viel____ Boutiquen in der Altstadt.

5. Ich kann mich nicht _____ d____ Teilnahme an der Prüfung entschließen.

6. Ich leide sehr _____ d____ feucht____ Klima.

7. Ich habe mich bei Siemens _____ ein____ Stelle beworben.

8. Sie berichtet gerne _____ ihr____ Ferienerlebnisse.

9. Wir müssen uns jetzt _____ dies____ schwierig____ Problem befassen.

10. Ich konnte Sie nicht finden, weil ich mich _____ d____ Adresse geirrt hatte.

11. Vergleichen Sie Ihr Land _____ d____ Bundesrepublik Deutschland!

12. Darf ich Sie _____ ein____ Auskunft bitten?

13. Bevor ich nach Deutschland fuhr, habe ich mich _____ mein____ Familie verabschiedet.

14. Ich sorge mich _____ mein____ Freund, von dem ich lange nichts gehört habe.

15. Es kommt _____ d____ Preis an, ob ich dieses Auto kaufe oder nicht.

16. Ich bin mit meinem Plan _____ groß____ Schwierigkeit____ gestoßen.

17. Der Chirurg hat sich _____ Herztransplantationen spezialisiert.

18. Sie dürfen nicht _____ d____ grammatisch____ Regeln verstoßen!

19. Es handelt sich _____ ein____ schwierig____ Problem.

20. Bitte achten Sie _____ d____ Verkehrszeichen!

21. Mein Interesse konzentriert sich ganz _____ d____ Studium.

22. Diese Partei tritt besonders _____ d____ Emanzipation der Frauen ein.

23. Wir bemühen uns _____ ein____ Arbeitsplatz.

24. Hast du dich schon _____ sein____ Adresse erkundigt?

25. Wir wenden uns _____ d____ zunehmend____ Umweltverschmutzung.

26. Es liegt _____ d____ glatt____ Straßen, dass wir nicht kommen können.

27. Er klagt schon wieder _____ Kopfschmerzen.

28. _____ w____ muss ich mich wenden, wenn ich eine Studienbescheinigung haben möchte?

7.9 Adjektive mit Ergänzungen

1. Adjektive mit Ergänzung im Akkusativ

alt	Das Baby ist erst einen Monat alt.
breit, groß, hoch, lang	Die Tür ist einen Meter breit.
schwer	Der Sack Kartoffeln ist etwa einen Zentner schwer.
gewohnt	Ich bin diesen Lärm nicht gewohnt.

2. Adjektive mit Dativ-Ergänzung

ähnlich	Er ist seinem Bruder sehr ähnlich.
behilflich	Ein freundlicher Mann war mir behilflich.
bekannt	Sein Name ist mir nicht bekannt. (→ mit)
dankbar	Ich bin meinem Freund dankbar, weil er mir geholfen hat.
egal, gleich(gültig)	Ihm ist alles egal.
möglich	Es ist mir nicht möglich, mehr zu bezahlen.
recht	Der vorgeschlagene Termin ist mir recht.
sympathisch	Unsere neue Nachbarin ist mir sehr sympathisch.
überlegen (≠ unterlegen)	Der Schachweltmeister war seinem Gegner weit überlegen.

3. Adjektive mit Präpositional-Ergänzung

abhängig von	Die Kinder sind von ihren Eltern abhängig.
angewiesen auf$_A$	Ich bin auf seine Hilfe angewiesen.
arm an$_D$	Das Land ist arm an Wasser.
bekannt mit	Ich bin mit ihm seit langem bekannt. (→ D)
beliebt bei	Sie ist bei ihren Kollegen sehr beliebt.
berechtigt zu	Herr Marx war zur Einlösung des Schecks nicht berechtigt.
bereit zu	Wir sind zur Abreise bereit.
besorgt um$_A$	Die Mutter ist um ihr krankes Kind besorgt.
bezeichnend für	Diese Antwort ist bezeichnend für sie.
charakteristisch für	Hitze und Feuchtigkeit sind charakteristisch für die Tropen.
einverstanden mit	Ich bin mit diesem Vorschlag einverstanden.
entschlossen zu	Wir sind zur Abreise entschlossen.
entsetzt über$_A$	Ich bin über sein schlechtes Benehmen entsetzt.
erfreut über$_A$	Sie ist über das schöne Geschenk erfreut.
erstaunt über$_A$	Die Studentin war über die guten Noten erstaunt.
fähig zu	Der Mann ist zu jeder Tat fähig.
fertig mit	Ich bin mit der Arbeit fertig.
frei von	Der Kranke ist heute frei von Schmerzen.
freundlich zu	Sie ist zu allen Leuten freundlich.
froh über$_A$	Wir sind froh über deinen Erfolg.
geeignet für (zu)	Dieses Buch ist für Anfänger (zum Lernen) gut geeignet.
gespannt auf$_A$	Ich bin gespannt auf das Ende des Romans.
glücklich über$_A$	Er ist glücklich über das Geschenk.
interessant für	Der Vortrag war interessant für uns.
interessiert an$_D$	Wir sind an einer Reise nach Spanien interessiert.
müde von	Ich bin müde von der Arbeit.
neidisch auf$_A$	Sie ist auf ihre jüngere Schwester neidisch.
nützlich für	Fremdsprachenkenntnisse sind für alle nützlich.
reich an$_D$	Dieses Land ist reich an Bodenschätzen.
schädlich für	Rauchen ist schädlich für die Gesundheit.
schuld an$_D$	Wer war schuld an dem Verkehrsunfall?
stolz auf$_A$	Die Eltern sind stolz auf ihre erfolgreiche Tochter.
traurig über	Wir sind traurig über die schlechte Nachricht.
überzeugt von	Sie ist von der Qualität des Produktes überzeugt.
vergleichbar mit	Deine Arbeit ist mit seiner Arbeit nicht vergleichbar.
verwandt mit	Er ist mit dem Präsidenten verwandt.
zufrieden mit	Wir sind mit unserer Arbeit zufrieden.

108. Setzen Sie – wenn nötig – Präpositionen und Endungen ein!

1. Die Professorin war _____ d____ Arbeit des Studenten nicht zufrieden.

2. Herr Meier ist _____ sein____ Bruder neidisch, weil dieser viel Geld hat.

3. Der Name des Künstlers war _____ d____ Journalisten bekannt.

4. Ali ist _____ sein____ Freunde____ sehr beliebt.

5. Mittags um 13.15 Uhr bin ich müde _____ Lernen.

6. Ich bin schon seit Jahren _____ d____ früh____ Aufstehen gewöhnt.

7. Ich bin _____ ein____ solch____ Lärm nicht gewohnt!

8. Wir sind _____ d____ Ausgang der Wahlen natürlich gespannt.

9. Ihr Freund ist _____ Drogen abhängig.

10. Alte Menschen sind reich _____ Erfahrungen.

11. Viele Menschen sind heute besorgt _____ ihr____ Arbeitsplatz.

12. Herr Meier ist _____ sein____ Nachbar____ _____ d____ Hilfe dankbar.

13. Der Firmenchef ist _____ d____ Qualität seiner Produkte überzeugt.

14. Ich bin _____ d____ hervorragend____ Kenntnisse des Studenten erstaunt.

15. Ob du Kartoffeln oder Reis kochst, ist _____ m____ egal.

16. Wer ist schuld _____ d____ Armut vieler Länder der Dritten Welt?

17. Ich bin _____ dein____ Pläne____ nicht einverstanden.

18. Die Mannschaft der USA war _____ all____ ander____ Mannschaften überlegen.

19. Dieses Brot ist frei _____ Konservierungsmitteln.

20. Ist dieses Messer gut _____ Brotschneiden geeignet?

21. Das Mädchen war _____ d____ alt____ Dame beim Einsteigen behilflich.

22. Ich bin froh _____ d____ gut____ Nachricht.

23. Sie ist _____ d____ koreanisch____ Studentin seit mehreren Jahren bekannt.

24. Die Firma ist stolz _____ ihr____ hochwertig____ Produkte.

25. Die Reise nach Rom war _____ all____ Teilnehmer interessant.

109. Setzen Sie – wenn nötig – Präpositionen und Endungen ein!

1. Das Hochhaus ist _____ ca. 80 m hoch.

2. Dieses Essen ist arm _____ Kalorien.

3. Fremdsprachenkenntnisse sind _____ all____ Menschen nützlich.

4. Diese beiden Städte sind nicht _____einander vergleichbar.

5. Das Militär war _____ d____ Sturz der Regierung entschlossen.

6. Deine Freundin ist auch _____ m____ sehr sympathisch.

7. Ultraviolette Strahlen sind schädlich _____ d____ Haut.

8. Sechzehnjährige sind noch nicht _____ Autofahren berechtigt.

9. Wir sind entsetzt _____ d____ grausam____ Bilder der Illustrierten.

10. Ist es _____ dein____ Eltern recht, dass du dein Studium abbrechen willst?

11. Dieses Verhalten ist bezeichnend _____ d____ Politiker.

12. Unser neuer Hausmeister ist freundlich _____ jedermann.

13. Dieses Verhalten ist charakteristisch _____ mein____ Onkel.

14. Meine Tante ist _____ 48 Jahre____ alt.

15. Ich bin erfreut _____ d____ gut____ Wahlergebnis.

16. Ich bin sehr _____ dein____ Meinung interessiert.

17. Die Eltern waren glücklich _____ d____ Geburt ihres ersten Kindes.

18. Mein Freund ist _____ sein____ älter____ Bruder sehr ähnlich.

19. Frau Meier ist nicht _____ Herr____ Maier verwandt.

20. Der Betrunkene war _____ nichts mehr fähig.

21. Eva ist nun endlich _____ ihr____ Studium fertig.

22. Es war _____ mein____ Familie nicht möglich, mich im Ausland zu besuchen.

23. Ich bin traurig _____ ihr____ plötzlich____ Abreise.

24. Mein Auto fährt nicht mehr; ich bin _____ d____ Bus angewiesen.

25. Wer ist _____ politisch____ Mitarbeit bereit?

8 Ergänzungssätze

8.1 „dass"-Sätze als Akkusativ-Ergänzungen

Was erwartest du? Erwartest du **meinen Besuch**?
> Ja, ich erwarte, **dass** du mich besuchst.

Was hoffst du?
> Ich hoffe, **dass** du ein paar Tage bei mir bleibst.

- Diese Nebensätze mit der Subjunktion „**dass**" sind Ergänzungssätze, d. h. die Akkusativ-Ergänzung des Hauptsatzes ist kein Nomen, sondern ein Nebensatz.
- Wie in allen Nebensätzen steht das Prädikat am Ende.

110. Bilden Sie „dass"-Sätze!

Was schreibt Erika?

1. Ihr Zug kommt um 14 Uhr in Münster an.
   → *Sie schreibt, dass ihr Zug um 14 Uhr in Münster ankommt.*
2. Ich soll sie vom Bahnhof abholen.
   → *Sie schreibt, dass ...*
3. Sie möchte mit mir die Stadt besichtigen.
   → *Sie schreibt, dass ...*
4. Sie bringt mir ein interessantes Geschenk mit.
   → *Sie schreibt, dass ...*
5. Sie kann nur etwa 6 Stunden in Münster bleiben.
   → *Sie schreibt, dass ...*
6. Sie fährt am Abend wieder zurück.
   → *Sie schreibt, dass ...*

Was weiß der Gemüsehändler?

7. Er darf nur gute Ware einkaufen.
   → *Er weiß, dass ...*
8. Das Obst muss vorsichtig transportiert werden.
   → *Er weiß, dass ...*
9. Die Kunden wollen freundlich bedient werden.
   → *Er weiß, dass ...*
10 Er darf seine Ware nicht zu teuer verkaufen.
   → *Er weiß, dass ...*
11. Obst und Gemüse müssen schnell verkauft werden.
   → *Er weiß, dass ...*
12. Alte Ware wird er nicht mehr los.
   → *Er weiß, dass ...*

8.2 „dass"-Sätze als Nominativ-Ergänzungen

Was gefällt dir nicht? Gefällt dir ***mein Rauchen*** nicht?
  Mir gefällt nicht, **dass** *du immer noch rauchst.*
  Es gefällt mir nicht, **dass** *du immer noch rauchst.*
Was tut dir Leid?
  Es tut mir Leid, **dass** *du morgen wieder abreisen musst.*
  Dass *du morgen wieder abreisen musst*, tut mir Leid.

| Hier hat die Nominativ-Ergänzung (Subjekt) die Form eines Nebensatzes.

111. Bilden Sie „dass"-Sätze!
  Was tut mir Leid?
  1. Peter hat die Prüfung nicht geschafft.
    → *Es tut mir Leid, dass Peter die Prüfung nicht geschafft hat.*
  2. Er muss das Semester wiederholen.
    → *Es tut mir Leid, dass ...*
  3. Er kann die geplante Reise nicht machen.
    → *Es tut mir Leid, dass ...*
  4. Seine Hoffnung wurde enttäuscht.
    → *Es tut mir Leid, dass ...*
  Was ist nicht schön?
  5. Du rauchst in meiner Gegenwart.
    → *Dass ...*   *, ist nicht schön.*
  6. Du bringst mir nie Blumen mit.
    → *Dass ...*   *, ist nicht schön.*
  7. Du hilfst mir nicht beim Spülen.
    → *Dass ...*   *, ist nicht schön.*
  8. Du hörst dir meine Sorgen nicht an.
    → *Dass ...*   *, ist nicht schön.*
  Was freut mich?
  9. Der Frühling kommt.
    → *Mich freut, dass ...*
  10. Das kalte und feuchte Wetter ist vorbei.
    → *Mich freut, dass ...*
  11. Wir können bald wieder draußen sitzen.
    → *Mich freut, dass ...*
  12. Bald werden die Vögel wieder singen.
    → *Mich freut, dass ...*

8.3 „dass"-Sätze als Präpositional-Ergänzungen

Worüber hast du dich gefreut? Hast du dich **über meinen Besuch** gefreut?
Ja, ich habe mich (*darüber*) gefreut, **dass** *du mich besucht hast.*
Womit rechnest du?
Ich rechne *damit,* **dass** *du in wenigen Wochen wiederkommst.*

- Hier hat die Präpositional-Ergänzung die Form eines Nebensatzes.
- Vor dem „dass"-Satz steht meistens ein *Korrelat* („da(r)-" + Präposition).

112. Beantworten Sie die Fragen mit dem passenden Korrelat und einem
    „dass"-Satz!
  1. Womit muss ich rechnen? (Die Miete wird bald wieder erhöht.)
     → *Ich muss damit rechnen, dass die Miete bald wieder erhöht wird.*
  2. Womit muss ich rechnen? (Mein Vermieter kündigt mir die Wohnung.)
     → *Ich ...*
  3. Wovon ist Inge überzeugt? (Sie hat sich richtig entschieden.)
     → *Sie ...*
  4. Worauf kann Peter sich verlassen? (Seine Freundin wird ihm helfen.)
     → *Er ...*
  5. Worauf muss man achten? (Alle Türen werden abends geschlossen.)
     → *Man ...*
  6. Wofür tritt die liberale Partei ein? (Die Steuern werden gesenkt.)
     → *Sie ...*
  7. Woran müssen sich Fremde in Husum gewöhnen? (Man begrüßt sich tags und
     nachts mit „Moin-Moin".)
     → *Sie ...*
  8. Woran müssen sie sich außerdem gewöhnen? (Viele Leute sprechen nur Platt-
     deutsch.)
     → *Sie ...*
  9. Worüber wundert sich Herr Kasim? (Es gibt so viele Hunde auf der Straße.)
     → *Er ...*
 10. Worüber wundert er sich auch? (Die Züge der Deutschen Bahn kommen nicht
     pünktlich an.)
     → *Er ...*
 11. Worauf sind die Eltern stolz? (Ihr Sohn hat die Aufnahmeprüfung bestanden.)
     → *Sie ...*
 12. Worauf sind sie außerdem stolz? (Ihre Tochter hat ihr Medizinstudium als Beste
     abgeschlossen.)
     → *Sie ...*

8.4 Infinitivsätze als Ergänzungen

Was planst du für die Sommerferien?
   Ich plane, *in den Sommerferien nach Rom **zu** fliegen.*
Was ist schön?
   Es ist schön, *dich einmal wieder**zu**sehen.*
Wozu sind wir verpflichtet?
   Wir sind *dazu* verpflichtet, *Steuern **zu** zahlen.*

- In bestimmten Fällen können Ergänzungen Infinitivsätze sein. („zu" + Infinitiv)
- Ein Infinitivsatz hat niemals ein Subjekt.
- Der Infinitiv steht am Ende des Nebensatzes.
- Die Infinitiv-Subjunktion „zu" steht direkt vor dem Verbstamm oder vor dem untrennbaren Verb.

113. Beantworten Sie die Fragen mit einer Infinitivkonstruktion!
1. Wollen Sie in Deutschland studieren?
   → *Ja, ich beabsichtige, in Deutschland zu studieren.*
2. Wollen Sie an der Aufnahmeprüfung teilnehmen?
   → *Ja, ich beabsichtige, ...*
3. Wollen Sie einen Sprachkurs besuchen?
   → *Ja, ich beabsichtige, ...*
4. Wollen Sie in einem Studentenheim wohnen?
   → *Nein, ich beabsichtige nicht, ...*
5. Haben Sie schon ein Zimmer gefunden?
   → *Nein, es ist nicht sehr leicht, ...*
6. Haben Sie schon eine Krankenversicherung abgeschlossen?
   → *Nein, es ist sehr kompliziert, ...*
7. Haben Sie schon Fachbücher gekauft?
   → *Nein, es ist sehr teuer, ...*
8. Haben Sie schon Bücher aus der Universitätsbibliothek ausgeliehen?
   → *Nein, es ist sehr schwierig, ...*
9. Worauf freust du dich? (... dass du bald mit dem Studium beginnen kannst?)
   → *Ja, ich ...*
10. Wovor fürchtest du dich? (... dass du allein im Ausland leben musst?)
   → *Ja, ich ...*
11. Was wünschst du dir? (... dass du höflich behandelt wirst?)
   → *Ja, ich ...*
12. Womit rechnest du? (... dass du in Kürze ein Visum erhältst?)
   → *Ja, ich ...*

8.5 Indirekte Fragesätze als Ergänzungen

Was möchtest du wissen?   („Besucht uns Anna heute? Ja oder nein?"
                                   „Wann kommt sie?")
   Ich möchte gern wissen, **ob** *Anna uns heute besucht* und
                           wann *sie kommt.*
Was ist noch ungewiss? („Kommt Peter mit dem Zug oder mit dem Bus?")
   Es ist noch ungewiss, **ob** *Peter mit dem Zug oder mit dem Bus kommt.*
Wonach hast du dich erkundigt? („Wann kommen mittags Züge aus Ulm an?")
   Ich habe mich (*danach*) erkundigt, **wann** *mittags Züge aus Ulm ankommen.*

– Sätze mit Prädikaten, die Fragen, Zweifel oder Ungewissheit ausdrücken,
  können indirekte Fragesätze als Ergänzungen haben.
– Indirekte Fragesätze sind Nebensätze; das Prädikat steht am Satzende.
– Bei Ja/Nein-Fragen beginnt der Nebensatz mit der Subjunktion **ob**;
  bei *w*-Fragen beginnt der Nebensatz mit einem *Fragewort* (**w**-Wort).

114. Bilden Sie indirekte Fragesätze!
1. Kommt der Zug aus Hamburg hier vor fünf Uhr an?
   → *Ich weiß nicht, ob der Zug aus Hamburg hier vor fünf Uhr ankommt.*
2. Wann ist der Zug in Hamburg abgefahren?
   → *Ich weiß nicht, ...*
3. Fährt dieser Zug nach Dortmund weiter?
   → *Wir wissen auch nicht, ...*
4. Wie viele Wagen hat der Zug aus Hamburg?
   → *Ich habe keine Ahnung, ...*
5. Gibt es auch Schlafwagen?
   → *Niemand kann mir sagen, ...*
6. Hat der Zug einen Speisewagen?
   → *Mir ist nicht bekannt, ...*

Sie können keine Auskunft geben:
7. Sie kennen den Namen Ihres neuen Nachbarn noch nicht.
   → *Ich weiß noch nicht, wie mein neuer Nachbar heißt.*
8. Sie kennen die neue Adresse Ihres Bruders noch nicht.
   → *Ich weiß noch nicht, ...*
9. Sie haben das Geburtsdatum Ihrer Schwester vergessen.
   → *Ich weiß nicht mehr, ...*
10. Sie kennen den Grund für das Fehlen Ihres Freundes nicht.
    → *Ich weiß nicht, ...*
11. Sie kennen die Telefonnummer Ihres Arztes nicht.
    → *Ich weiß nicht, ...*

9 Angaben / Angabesätze

9.1 Angaben

Morgen schreibe ich einen Test.	(**WANN?**)
Wegen meiner Kopfschmerzen nehme ich Aspirin.	(**WARUM?**)
Ich brauche das Lineal **zum Ziehen einer Linie**.	(**WOZU?**)
Bei schlechtem Wetter bleiben wir zu Hause.	(**WANN?**)
Sie verdient ihr Geld **durch harte Arbeit**.	(**WIE?**)
Du hast **hier oben** einen Fehler gemacht.	(**WO?**)

- Satzglieder, die weder Prädikate noch Ergänzungen sind und also nicht direkt vom Prädikatsverb abhängen, heißen **Angaben**. (s. auch S. 157)
- Angaben sind meistens Nominalgruppen + Präpositionen oder Adverbien.
- Die häufigsten Angaben sind:

Temporal-Angabe	Frage: **WANN? WIE LANGE?** usw.
Kausal-Angabe	Frage: **WARUM? WESHALB?** usw.
Final-Angabe	Frage: **WOZU?**
Konditional-Angabe	Frage: **WANN?**
Modal-Angabe	Frage: **WIE?**
Lokal-Angabe	Frage: **WO?**

115. Bestimmen Sie die unterstrichenen Angaben!

$\qquad$ *Kausalangabe*
1. Wegen des schlechten Wetters werde ich zu Hause bleiben.
2. Man kann seine Augen durch eine Sonnenbrille schützen.
3. Paco ist zum Deutschlernen nach Münster gekommen.
4. Ich möchte Spanisch in Salamanca lernen.
5. Frau Shin lebt seit vier Monaten in Deutschland.
6. Bei Glatteis muss man vorsichtig fahren.
7. Sie ist heute Morgen zur Untersuchung ins Krankenhaus gebracht worden.

116. Versuchen Sie, die folgenden Angaben in einen Nebensatz (= Angabesatz) umzuformen!
1. Vor dem Essen wasche ich mir die Hände.
   → *Bevor ich esse, wasche ich mir die Hände.*
2. Bei gutem Wetter machen wir einen Spaziergang.
   →
3. Ich fahre zum Einkaufen in die Stadt.
   →
4. Wegen ihrer Kopfschmerzen geht Petra zum Arzt.
   →
5. Bis zur Abfahrt des Zuges sind es noch fünf Minuten.
   →

9.2 Temporalsätze

9.2.1 Temporalsätze mit „wenn" und „als"

① *Wann* muss ich aufstehen?   (Mein Wecker klingelt.)
   Wenn mein Wecker klingelt, muss ich aufstehen.

② *Wann* hatte ich kein Zimmer?   (Ich kam zum Studium nach Berlin.)
   Als ich zum Studium nach Berlin kam, hatte ich kein Zimmer.

③ *Wann* freuten sich meine Großeltern immer? (Ich besuchte sie in den Ferien.)
   Wenn ich meine Großeltern in den Ferien besuchte, freuten sie sich immer.

> – Temporalsätze mit „wenn" und „als" nennen einen Zeitpunkt. Sie antworten
>   auf die Frage: Wann?
> – Für <u>Gegenwart</u> und <u>Zukunft</u> benutzt man nur die Subjunktion „wenn". ①
> – Für die <u>Vergangenheit</u> benutzt man die Subjunktion
>   • „als", wenn es sich um einen *einmaligen Vorgang* handelt, ②
>   • „wenn", wenn es sich um *wiederholte Vorgänge* handelt. ③
> – Temporalsätze können durch nominale Temporal-Angaben ersetzt werden:
>   *wenn der Wecker klingelt*   → *beim Klingeln des Weckers*
>   *als ich in Berlin ankam*   → *bei meiner Ankunft in Berlin*
>   *wenn die Ferien beginnen*   → *bei Ferienbeginn / bei Beginn der Ferien*

117. Machen sie aus den kursiv geschriebenen Sätzen Temporalsätze!
1. *Der Frühling kommt.* Die Blumen blühen wieder.
   → *Wenn der Frühling kommt, blühen die Blumen wieder.*
2. *Frau Klein heiratete.* Wir haben ihr gratuliert.

   →

3. *Der Papst reiste nach Amerika.* Er brauchte nie einen Dolmetscher.

   →

4. *Ich stieg aus dem Zug.* Ich sah sofort meine Freundin.

   →

5. *Es ist dunkel.* Wir müssen das Licht anmachen.

   →

6. *Meine Großmutter feierte ihren Geburtstag.* Sie lud immer viele Gäste ein.

   →

7. *Sie fuhr zum ersten Mal ins Ausland.* Sie war achtzehn Jahre alt.

   →

8. *Mein Vater machte längere Geschäftsreisen.* Meine Mutter war immer unruhig.

   →

9. *Die Blätter fallen von den Bäumen.* Der Herbst kommt.

   →

118. Setzen Sie „wenn" bzw. „als" ein!

1. _____ ich geboren wurde, lebte mein Urgroßvater noch.

2. _____ man früher Wasser brauchte, holte man es aus dem Brunnen.

3. _____ Mozart 1791 starb, war er erst 35 Jahre alt.

4. _____ ich meine Hausaufgaben mache, kann ich keine Musik hören.

5. _____ mein Freund gestern Abend angerufen hat, war ich nicht zu Hause.

6. Ich habe das Abitur gemacht, _____ ich neunzehn Jahre alt war.

7. Ich habe meistens geweint, _____ ich früher schlechte Noten bekam.

8. _____ die Ferien beginnen, verreisen viele Leute.

9. Ich habe mein Portemonnaie wahrscheinlich verloren, _____ ich aus dem Taxi ausgestiegen bin.

10. _____ Maria Callas ein Konzert gab, war es jedesmal schwer, Karten zu bekommen.

119. Bilden Sie Temporalsätze!

1. _Der Winter kommt. Ich ziehe wärmere Kleidung an._
   → _Wenn der Winter kommt, ziehe ich wärmere Kleidung an._
2. Meine Mutter hat mich auf den Arm genommen. _Ich schrie als Baby._
   →
3. Herr Singh konnte kein Wort Deutsch. _Er kam aus Indien nach Deutschland._
   →
4. _Ich muss eine Prüfung machen. Ich bin immer sehr aufgeregt._
   →
5. _Ich besuchte meine zukünftigen Schwiegereltern. Ich war sehr aufgeregt._
   →
6. _Früher wollte jemand nach Amerika reisen._ Er brauchte mehrere Wochen.
   →
7. _Wir kamen mit dem Zug in München an._ Es regnete in Strömen.
   →
8. Die Sportlerin verletzte sich _beim Training._ (trainieren!)
   →
9. _Beim Lesen der Zeitung_ rauchte mein Großvater gerne seine Pfeife.
   →
10. Der Zug hatte _bei der Abfahrt_ schon eine Verspätung von zwanzig Minuten.
    →
11. Gestern bin ich _beim Rückwärtsfahren_ gegen eine Mauer gestoßen.
    →
12. Ich möchte _beim Gespräch mit der Kundin_ nicht gestört werden.
    →

9.2.2 Temporalsätze mit „während"

Ich frühstücke. *Zur gleichen Zeit* spielt das Radio.
***Während** ich frühstücke*, spielt das Radio.
Sie telefonierte mit ihrer Freundin. *Gleichzeitig* blätterte sie in einem Buch.
***Während** sie mit ihrer Freundin telefonierte*, blätterte sie in einem Buch.

- Das Geschehen des Temporalsatzes mit „während" ist *gleichzeitig* mit dem Geschehen des Hauptsatzes. Die Vorgänge verlaufen parallel.
- Temporalsätze können durch nominale Temporal-Angaben ersetzt werden:
  während ich frühstücke   →   ***während** des Frühstücks*
  während sie telefonierte   →   ***während** des Telefonierens*
  während er mit dem Zug fuhr   →   ***während** der Zugfahrt*

120. Bilden Sie Temporalsätze mit „während"!

1. Frau Meier schläft noch. Herr Meier kocht schon den Kaffee.
   → *Während Frau Meier noch schläft, kocht Herr Meier schon den Kaffee.*
2. Sie isst noch. Er liest schon die Zeitung.
   →
3. Er räumt den Tisch ab. Sie telefoniert mit ihrer Freundin.
   →
4. Wir warteten auf den Bus. Es begann zu regnen.
   →
5. Der Zug näherte sich dem Bahnhof. Die Leute machten sich zum Aussteigen fertig.
   →
6. *Während unserer Unterhaltung* spielten die Kinder Monopoly.
   →

Adversativsätze mit „während" machen einen Gegensatz deutlich:

***Während** Peter erfolgreich studiert*, hat sein Bruder das Studium abgebrochen.
***Während** ich früher 30 Zigaretten am Tag rauchte*, rauche ich heute keine mehr.

121. Bilden Sie Adversativsätze!

1. Viele Leute machen heute zweimal im Jahr Urlaub. Ihre Großeltern kannten überhaupt keinen Urlaub.
   → *Während ...*
2. In Flensburg schneit es noch. In Freiburg blühen schon die Krokusse.
   →
3. Alle meine Geschwister sind Rechtshänder. Ich bin Linkshänder.
   →
4. Meine Schwester lebt in einer Großstadt, aber ich lebe auf dem Lande.
   →
5. Polen war früher ein reines Agrarland, doch heute gibt es dort viel Industrie.
   →

9.2.3 Temporalsätze mit „nachdem"

① *Zuerst* frühstücke ich. *Dann* fahre ich zur Arbeit.
   Nachdem ich gefrühstückt habe, fahre ich zur Arbeit.
② *Zuerst* beendete Petra ihr Studium. *Danach* machte sie eine große Reise.
   Nachdem Petra ihr Studium beendet hatte, machte sie eine große Reise.

– Das Geschehen des Nebensatzes liegt *vor* dem Geschehen des Hauptsatzes.
– Man drückt die *Vorzeitigkeit* durch ein *vorzeitiges Tempus* aus:

Hauptsatz:		**Nebensatz:**
① Gegenwart / Zukunft	+	Perfekt
② Vergangenheit	+	Plusquamperfekt

– Temporalsätze können durch nominale Temporal-Angaben ersetzt werden:
   nachdem ich gefrühstückt habe   → **nach** dem Frühstück
   nachdem er sein Studium beendet hatte → **nach** dem Ende seines Studiums
   nachdem sie abgereist waren   → **nach** ihrer Abreise

122. *Bilden Sie Temporalsätze mit „nachdem"!*

1. Zuerst macht Peter die Hausaufgaben. Dann trifft er seine Freunde.
   → *Nachdem Peter die Hausaufgaben gemacht hat, trifft er seine Freunde.*
2. Zuerst steht Lisa auf. Dann geht sie ins Badezimmer.
   →
3. Zuerst waschen wir uns die Hände. Dann essen wir.
   →
4. Zuerst arbeiteten sie. Dann gingen sie ins Kino.
   →
5. Zuerst kam der Zug zum Stehen. Dann öffneten sich die Türen.
   →
6. Zuerst haben wir uns informiert. Dann haben wir den Bus Nr. 8 genommen.
   →
7. *Nach der Arbeit* ruhe ich mich aus.
   →
8. *Nach dem Bestehen der Sprachprüfung* werde ich mit dem Fachstudium beginnen.
   →
9. *Nach der Rückkehr von der Reise* hat er als Erstes seine Freundin besucht.
   →
10. *Nach der Beendigung des Gymnasiums* machte Eva eine Berufsausbildung.
    →
11. *Nach der Reparatur meines Fahrrads* fahre ich wieder mit dem Rad zur Uni.
    →
12. *Nach dem Duschen* zog er frische Wäsche an.
    →

9.2.4 Temporalsätze mit „bevor"

① Ich esse. *Vorher* wasche ich mir die Hände.
    Bevor *ich esse*, wasche ich mir die Hände.
② Sie ging schlafen. *Vorher* putzte sie sich die Zähne.
    Bevor *sie schlafen ging*, putzte sie sich die Zähne.

> Das Geschehen des Nebensatzes liegt <u>nach</u> dem Geschehen des Hauptsatzes.
> **Temporalsatz**   →   **Temporal-Angabe**
> *bevor ich esse*   →   **vor** *dem Essen*
> *bevor sie schlafen ging*   →   **vor** *dem Schlafengehen*

123. Bilden Sie Temporalsätze mit „bevor"!

1. Ali fuhr nach Deutschland. Vorher musste er Deutsch lernen.
   → *Bevor Ali nach Deutschland fuhr, musste er Deutsch lernen.*
2. Wir fuhren nach Hamburg. Wir kauften (vorher) eine Fahrkarte.
   →
3. Zuerst muss man viel Geld sparen. Dann kann man sich ein Haus kaufen.
   →
4. Zuerst bereiteten sie sich vor. Dann nahmen sie an der Prüfung teil.
   →
5. *Vor dem Studium* muss ich das Abitur machen.
   →

9.2.5 Temporalsätze mit „seit(dem)"

Meine Schwester hat geheiratet. Sie besucht uns (*seit ihrer Heirat*) nur selten.
    Seitdem *meine Schwester geheiratet hat*, besucht sie uns nur selten.

> Das Geschehen hat in der Vergangenheit begonnen und geht bis in die Gegenwart.
> **Temporalsatz**   →   **Temporal-Angabe**
> *seitdem meine Schwester geheiratet hat* →   **seit** *der Heirat meiner Schwester*
> *seit sie angekommen ist*   →   **seit** *ihrer Ankunft*

124. Bilden Sie Temporalsätze mit „seitdem"!

1. Meine Eltern leben auf dem Lande. Sie sind viel zufriedener.
   → *Seitdem meine Eltern auf dem Lande leben, sind sie viel zufriedener.*
2. Sie ist nach Deutschland gekommen. Sie lernt Deutsch.
   →
3. Er ist verheiratet. Er ist sehr glücklich.
   →
4. *Seit dem Einzug in unsere neue Wohnung* geht es uns besser.
   →
5. *Seit der Sperrung der Straße* ist es bei uns ruhiger geworden.
   →

125. Bilden Sie Temporalsätze mit „während", „nachdem" oder „bevor"!

1. Der Student füllte das Formular aus. Danach gab er es der Angestellten.
   → *Nachdem der Student das Formular ausgefüllt hatte, gab er es der Angestellten.*

2. Man überquert eine Straße. Vorher muss man nach links und rechts schauen.
   →

3. Frau Berger arbeitet in der Küche, Herr Berger liegt auf dem Sofa.
   →

4. Das Orchester spielt; die Zuhörer schweigen.
   →

5. Ich kam in München an. Dann besuchte ich meine Verwandten.
   →

6. Du gehst aus dem Haus. Vergiss nicht, das Licht auszumachen!
   →

7. Der kranke Vater schläft. Die Kinder müssen ruhig sein.
   →

8. Wir aßen und gingen dann spazieren.
   →

9. Der Zug hält. Vorher darf niemand aussteigen.
   →

10. Du machst deine Arbeit. Danach gehen wir ins Kino.
    →

11. Ich mache eine Auslandsreise. Ich informiere mich (vorher) über das Land.
    →

12. Kostas schließt sein Studium ab. Danach kehrt er nach Griechenland zurück.
    →

13. Der Mann erreichte den Bahnhof. Vorher fuhr der Zug ab.
    →

14. Petra schrieb ihre Diplomarbeit. Sie hatte keine Zeit zum Tennisspielen.
    →

15. Die Reporter hatten lange gewartet. Dann erschien der Minister endlich im Presseclub.
    →

9.2.6 Temporalsätze mit „bis"

Bis zur Abfahrt des Zuges sind es noch fünf Minuten.
     ***Bis** der Zug abfährt*, sind es noch fünf Minuten.

> Das Geschehen des Nebensatzes liegt *nach* dem Geschehen des Hauptsatzes und ist auch *Endpunkt* des Hauptsatzgeschehens.

126. Bilden Sie Temporalsätze mit „bis"!

1. Sie hat mich oft angerufen. Sie hat mich (schließlich) erreicht.
    →
2. Ich finde (bald) ein eigenes Zimmer. Ich wohne (bis dahin) bei einem Freund.
    →
3. *Bis zum Beginn der Ferien* müssen wir noch viel lernen.
    →
4. Ich bleibe *bis zum Abschluss meines Studiums* in Münster.
    →

9.2.7 Temporalsätze mit „solange"

Mein Auto ist kaputt. Ich fahre (bis zur Reparatur) mit dem Fahrrad.
     ***Solange** mein Auto kaputt ist*, fahre ich mit dem Fahrrad.

> Das Geschehen des Nebensatzes ist *gleichzeitig* mit dem Geschehen des Hauptsatzes. Der gemeinsame *Endpunkt* wird betont.

127. Bilden Sie Temporalsätze mit „solange"!

1. Es regnet. Wir können (während des Regens) nicht spazieren gehen.
    →
2. Kaufen Sie doch Äpfel! Sie sind noch so billig.
    →
3. *Während des Tankens* darf man nicht rauchen. (Später darf man es wieder!)
    →
4. Es ist kalt. Man muss warme Kleidung tragen.
    →

9.2.8 Temporalsätze mit „sobald"

Ich fliege nach Marokko. *Sofort nach meiner Ankunft* rufe ich dich an.
     ***Sobald** ich in Marokko angekommen bin*, rufe ich dich an.

> Das Geschehen des Nebensatzes liegt *vor* dem Geschehen des Hauptsatzes.

128. Bilden Sie Temporalsätze mit „sobald"!

1. Ich schreibe dir einen langen Brief. Ich (muss aber erst) Zeit haben.
    →
2. Ich komme zu dir. Ich (muss aber erst) mit der Arbeit fertig sein.
    →
3. *Sofort nach dem Ende des Unterrichts* gehen wir in die Mensa.
    →
4. *Bei Berührung des Schalters* geht das Licht an.
    →

129. Bilden Sie Temporalsätze!

1. *Bei der Landung des Flugzeugs* muss man angeschnallt sein.
   → *Wenn das Flugzeug landet, muss man angeschnallt sein.*
2. *Während der Prüfung* durften die Studierenden nicht rauchen.
   →
3. *Nach dem Aufstehen* zündet er sich sofort eine Zigarette an.
   →
4. *Vor dem Überqueren der Straße* muss man nach links und rechts schauen.
   →
5. *Beim Zusammenstoß der beiden Züge* gab es viele Verletzte.
   →
6. *Nach der Besichtigung der Altstadt* gingen die Touristen ins Museum.
   →
7. *Bei Kriegsbeginn* lebten meine Großeltern noch.
   →
8. *Beim Baden im Meer* habe ich früher immer Angst vor den Fischen gehabt.
   →
9. *Seit dem Treffen vor drei Jahren* sind wir uns nie wieder begegnet.
   →
10. *Bis zur Rettung der Erdbebenopfer* vergingen drei Tage.
    →
11. *Beim Autofahren in England* habe ich Probleme mit dem Linksverkehr.
    →
12. *Während unseres Spaziergangs* bereitete Frau Behrens das Abendessen vor.
    →
13. *Nach dem Essen* schläft Herr Behrens eine halbe Stunde.
    →
14. *Vor dem Kauf eines Hauses* muss man sich über die Kreditzinsen informieren.
    →
15. Meine Großmutter musste *beim Zeitunglesen* eine Brille tragen.
    →
16. *Sofort nach der Zahlung des Lösegeldes* wurde die Geisel freigelassen.
    →

9.3 Kausalsätze

Sie bleibt zu Hause. Sie ist krank!
Warum bleibt sie zu Hause?

Sie bleibt zu Hause, $\left\{ \begin{array}{l} \textbf{\textit{weil}} \\ \textbf{\textit{da}} \end{array} \right\}$ *sie krank ist.*

$\left\{ \begin{array}{l} \textbf{\textit{Da}} \\ \textbf{\textit{Weil}} \end{array} \right\}$ *sie krank ist,* bleibt sie zu Hause.

- Kausalsätze nennen einen Grund bzw. eine Ursache. Sie antworten auf die Frage: Warum? Weshalb? Weswegen? Aus welchem Grund? (Wieso?)
- Die Subjunktionen sind „weil" und „da". („da"-Sätze stehen meistens vor dem Hauptsatz.)
- Kausalsätze können durch nominale Kausal-Angaben ersetzt werden:

weil sie krank ist	→	**wegen** *ihrer Krankheit*
da sie eine Grippe hat	→	**aufgrund** *ihrer Grippe*
da ich Angst hatte	→	**aus** *Angst*

130. Bilden Sie Satzgefüge mit Kausalsätzen! Der Kausalsatz soll einmal <u>nach</u> dem Hauptsatz (a) und einmal <u>vor</u> dem Hauptsatz (b) stehen.

1. Es regnet. Ich bleibe zu Hause.
   → a) *Ich bleibe zu Hause, <u>weil</u> es regnet.* → b) <u>*Da*</u> *es regnet, bleibe ich zu Hause.*
2. Inge geht zur Bank. Sie will Geld abheben.
   → a)
   → b)
3. Wir sind müde. Wir gehen heute Abend nicht ins Theater.
   → a)
   → b)
4. Ich kaufe den Ledermantel nicht. Er ist zu teuer.
   → a)
   → b)
5. Sie trinkt nichts. Sie hat keinen Durst.
   → a)
   → b)
6. Ich habe schlechte Augen. Ich kann die kleinen Zahlen nicht lesen.
   → a)
   → b)
7. Wir gehen ins Restaurant. Wir wollen zu Mittag essen.
   → a)
   → b)

131. Antworten Sie mit Kausalsätzen!

1. Warum kommt Eva immer zu spät? (Sie steht zu spät auf.)
   → *Eva kommt immer zu spät, weil sie zu spät aufsteht.*
2. Warum ist Kostas traurig? (Er hat die Prüfung nicht bestanden.)
   →
3. Aus welchem Grund bist du nicht gekommen? (Ich war krank.)
   →
4. Weshalb isst Carmen nicht in der Mensa? (Das Essen schmeckt ihr nicht.)
   →
5. Warum hatte sie einen Unfall? (Sie war zu schnell gefahren.)
   →
6. Warum studiert Aziz in Berlin? (Er kann dort bei seinem Onkel wohnen.)
   →
7. Weswegen bist du morgens immer müde? (Ich gehe zu spät schlafen.)
   →
8. Wieso hat er die Prüfung nicht geschafft? (Er war nicht fleißig.)
   →
9. Warum können Meiers keine Reise machen? (Herr Meier ist arbeitslos.)
   →
10. Weshalb ist die Straße gesperrt? (Es hat einen Unfall gegeben.)
    →

132. Bilden Sie Kausalsätze!

1. Das Fußballspiel findet *wegen des schlechten Wetters* nicht statt.
   →
2. *Wegen des Regens* blieb er zu Hause.
   →
3. *Aufgrund ihres hohen Alters* kann sie die Reise nicht machen.
   →
4. Herr Schmidt musste *aus Krankheitsgründen* zu Hause bleiben.
   →
5. *Aus Angst vor dem Hund* wollten die Kinder den Garten nicht betreten.
   →
6. *Wegen des Schnees* kam der Zug verspätet in Zürich an.
   →
7. *Aufgrund der Trockenheit* wächst das Korn schlecht.
   →
8. *Wegen einer Panne* blieb der Bus auf der Kreuzung stehen.
   →
9. Er hat seine Frau *aus Eifersucht* getötet.
   →

9.4 Finalsätze

① <u>Erol</u> besucht einen Sprachkurs. <u>Er</u> will Deutsch lernen.
    Wozu besucht Erol einen Sprachkurs?
    Erol besucht einen Sprachkurs, **um** *Deutsch* **zu** *lernen.*
    (Erol besucht einen Sprachkurs, **damit** *er Deutsch lernt.*)

② <u>Der Arzt</u> verschreibt mir ein Medikament. <u>Ich</u> soll wieder gesund werden.
    Mit welcher Absicht verschreibt er mir ein Medikament?
    Der Arzt verschreibt mir ein Medikament, **damit** *ich wieder gesund werde.*

- Finalsätze nennen eine Absicht bzw. einen Zweck. Sie antworten auf die Frage: Wozu? Mit welcher Absicht? Zu welchem Zweck?
- Finalsätze sind   a) Infinitivkonstruktionen mit der Subjunktion „um … zu",
                 b) Nebensätze mit der Subjunktion „damit".
- Wenn die Subjekte in Haupt- und Nebensatz gleich sind, benutzt man fast immer die Infinitivkonstruktion.①
- Wenn die Subjekte verschieden sind, muss man einen „damit"-Satz bilden.②
- In Finalsätzen stehen keine Modalverben mit finaler Bedeutung: wollen, möchte-, sollen.
- Finalsätze können durch nominale Final-Angaben ersetzt werden:
    um Deutsch zu lernen   →   **zum** *Deutschlernen*
    damit er studiert   →   **zum** *Studium*
    damit es repariert wird →   **zur** *Reparatur*

133. Bilden Sie Finalsätze! Achten Sie auf die Modalverben!

1. Ich bin nach Deutschland gekommen. Ich will Medizin studieren.
   → *Ich bin nach Deutschland gekommen, um Medizin zu studieren.*

2. Meine Eltern haben mir Geld geschickt. Ich soll mir einen Computer kaufen.
   →

3. Der Kellner ging in die Küche. Er wollte mir mein Essen holen.
   →

4. Ich habe Petra geschrieben. Sie soll mir meine Bücher mitbringen.
   →

5. Richard geht zu Herrn Müller. Er will ihm zum Geburtstag gratulieren.
   →

6. Hast du dich mit Inge verabredet? Willst du dir mit ihr einen Film ansehen?
   →

7. Ich möchte dich zu meinem Bruder mitnehmen; du sollst ihn kennen lernen.
   →

8. Eine Studentin geht zum Einwohnermeldeamt. Sie will sich dort anmelden.
   →

134. Bilden Sie Finalsätze! Achten Sie auf die Modalverben!

1. Ich gehe zur Bank. Ich möchte Geld abheben.

   →

2. Wir schalten das Fernsehgerät ein. Wir wollen uns das Fußballspiel ansehen.

   →

3. Ich öle die Tür. Sie soll nicht mehr quietschen.

   →

4. Der Dieb hat sich versteckt. Die Polizei soll ihn nicht finden.

   →

5. Wir haben die Fenster geöffnet. Es soll frische Luft hereinkommen.

   →

6. Ich fahre morgen in die Stadt. Ich will mir Schuhe kaufen.

   →

7. Sie verlässt das Haus sehr früh. Sie möchte den Zug nicht verpassen.

   →

8. Die Mutter zieht ihre Kinder warm an. Sie sollen sich nicht erkälten.

   →

9. Der Schauspieler trägt eine dunkle Sonnenbrille. Er möchte nicht erkannt werden.

   →

10. Ich habe meinen Freund angerufen. Ich wollte ihn zum Abendessen einladen.

    →

11. *Zur Verbesserung meiner Sprachkenntnisse* besuche ich einen Sprachkurs.

    →

12. Der Student gab seiner Professorin die Arbeit *zur Korrektur*.

    →

13. *Zum besseren Kennenlernen* wollen die Studenten des Kurses eine Party feiern.

    →

14. *Zur Lösung dieser Aufgabe* brauchst du keinen Taschenrechner!

    →

15. *Zum Schutz vor Einbrechern* haben unsere Nachbarn eine Alarmanlage einbauen lassen.

    →

16. Nachdem ein Atom-Unfall passiert war, hielt der Minister eine Rede *zur Beruhigung der Bevölkerung*.

    →

9.5 Konditionalsätze

Man darf die Straße überqueren. (*Bedingung:* die Ampel muss Grün zeigen!)
① *Wenn die Ampel Grün zeigt*, darf man die Straße überqueren.
② *Zeigt die Ampel Grün*, *(dann)* darf man die Straße überqueren.
Wann muss man sehr vorsichtig sein? (Die Ampel funktioniert nicht!)
① *Falls die Ampel nicht funktioniert*, muss man sehr vorsichtig sein.
② *Funktioniert die Ampel nicht*, *(dann)* muss man sehr vorsichtig sein.

- – Konditionalsätze nennen eine Bedingung. Sie antworten auf die Frage: Unter welcher Bedingung? Wann?
- – Die Subjunktionen sind „wenn" oder „falls".①
- – Wenn der Konditionalsatz vor dem Hauptsatz steht, kann die Subjunktion wegfallen. Die Personalform des Prädikats steht dann auf Position I (= Fragesatz-Form) und der Hauptsatz beginnt häufig mit „dann".②
- – Konditionalsätze können durch nominale Konditional-Angaben ersetzt werden:

  wenn die Ampel Grün zeigt   →   *bei Grün*
  falls es stark regnet   →   *bei starkem Regen*
  wenn die Straßen glatt sind →   *bei Straßenglätte*

135. Bilden Sie Konditionalsätze!
1. Man ist Student. Man darf im Studentenheim wohnen.
   →① *Wenn man Student ist, darf man im Studentenheim wohnen.*
   →② *Ist man Student, (dann) darf man im Studentenheim wohnen.*
2. Man hat das Examen gemacht. Man muss ausziehen.

   →①

   →②

3. Man möchte arbeiten. Man muss sich einen Arbeitsplatz suchen.

   →①

   →②

4. Die Mieten steigen weiter. Ich kann mir keine eigene Wohnung mehr leisten.

   →①

   →②

5. Sie nehmen einen Kredit auf. Sie müssen Zinsen bezahlen.

   →①

   →②

136. Bilden Sie Konditionalsätze!

1. Der Tank des Autos ist fast leer. Man muss zum Tanken fahren.

   →

2. Man hat Durst. Man muss etwas trinken.

   →

3. Was müssen Sie tun? (Sie haben Ihren Pass verloren!)

   →

4. Sie bezahlen die Miete nicht rechtzeitig. Die Wohnung wird Ihnen schnell gekündigt.

   →

5. Man ist krankenversichert. Die Versicherung bezahlt den Arzt.

   →

6. Du schläfst nicht lange genug. Du bist am nächsten Morgen nicht frisch.

   →

7. Das Radio spielt zu laut. Die Kinder können nicht einschlafen.

   →

8. Jemand hat keinen Führerschein. Er darf kein Auto fahren.

   →

9. Der Student hat 180 Punkte erreicht. Er hat die Prüfung bestanden.

   →

10. *Bei Sonnenschein* macht das Radfahren Spaß.

    →

11. *Bei fleißigem Lernen* kann sie die Prüfung schaffen.

    →

12. *Bei sorgfältigem Suchen* wirst du deinen Schlüssel wiederfinden.

    →

13. *Bei geschlossenem Fenster* kann ich nicht schlafen.

    →

14. *Bei auftretenden Komplikationen* muss der Arzt gerufen werden.

    →

15. Das Originalzeugnis muss *bei Antragstellung* vorgelegt werden.

    →

9.5.1 Irreale (hypothetische) Konditionalsätze

Wenn ich reich *wäre*, { *würde* ich mir ein Auto *kaufen*.
 (*kaufte* ich mir ein Auto.)

Wenn ich Flügel *hätte*, { *würde* ich in meine Heimat *fliegen*.
 ~~*flöge* ich in meine Heimat.~~

Wenn er rechtzeitig *käme*,
 Wenn er rechtzeitig *kommen würde*, } *könnten* wir noch ins Konzert *gehen*.

- Wenn man im Konditionalsatz eine Bedingung nennt, die irreal bzw. hypothetisch ist, benutzt man den *Konjunktiv II der Gegenwart*.
- Es gibt zwei Formen für den Konjunktiv II der Gegenwart:
  • die vom Präteritum abgeleitete *einfache Form*;
  • die mit „würde-" + Infinitiv gebildete *zusammengesetzte Form*.
- Bei häufig gebrauchten Verben (Hilfsverben; Modalverben; wissen, lassen, kommen, gehen, bleiben usw.) benutzt man meistens die einfache Form, bei den übrigen Verben benutzt man meistens die zusammengesetzte Form.

Formen:		**Einfache Form**		**Zusammengesetzte Form**
haben:	ich hatte	→ ich	hätte	-e
		du	hättest	-est
		man	hätte	-e
		wir	hätten	-en
		ihr	hättet	-et
		sie	hätten	-en
sein:	ich war	→ ich wäre		Die zusammengesetz-
werden:	ich wurde	→ ich würde		te Form ist bei diesen
				Verben ungebräuch-
können:	ich konnte	→ ich könnte		lich
dürfen:	ich durfte	→ ich dürfte		
müssen:	ich musste	→ ich müsste		
mögen:	ich mochte	→ ich möchte		
sollen:	ich sollte	→ ich sollte		
wollen:	ich wollte	→ ich wollte		
wissen:	ich wusste	→ ich wüsste		
lassen:	ich ließ	→ ich ließe		ich würde lassen
kommen:	ich kam	→ ich käme		ich würde kommen
gehen:	ich ging	→ ich ginge		ich würde gehen
bleiben:	ich blieb	→ ich bliebe		ich würde bleiben
kaufen:	ich kaufte	→ (ich kaufte)		ich würde kaufen
studieren:	ich studierte	→ (ich studierte)		ich würde studieren
fliegen:	ich flog	→ ~~ich flöge~~		ich würde fliegen
helfen:	ich half	→ ~~ich hülfe~~		ich würde helfen
nehmen:	ich nahm	→ ~~ich nähme~~		ich würde nehmen

137. Bilden Sie irreale Konditionalsätze mit dem Konjunktiv II!
(Stellen Sie sich immer das Gegenteil vor!)
1. Das Buch ist nicht interessant. Ich lese es nicht.
   → *Aber wenn das Buch interessant wäre, würde ich es lesen.*
2. Ich habe kein Geld. Ich verreise nicht.

   → *Aber wenn ...*

3. Er bittet mich nicht um Hilfe. Ich kann ihm nicht helfen.

   → *Aber wenn ...*

4. Der Mensch hat keine Flügel. Er fliegt nicht wie ein Vogel.

   → *Aber wenn ...*

5. Ich bin kein Vöglein. Ich fliege nicht zu dir.

   → *Aber wenn ...*

6. Der Weg ist so weit. Wir gehen nicht zu Fuß.

   → *Aber wenn ...*

7. Ich habe meine Brille nicht bei mir. Ich kann den Brief nicht lesen.

   → *Aber wenn ...*

8. Sie hat keinen Führerschein. Sie darf nicht Auto fahren.

   → *Aber wenn ...*

9. Ich weiß Peters Telefonnummer nicht. Ich rufe ihn nicht an.

   → *Aber wenn ...*

10. Die Menschen sind keine Engel. Es gibt keinen Frieden auf der Erde.

    → *Aber wenn ...*

11. Meine Eltern schicken mir Geld. Ich brauche nicht zu jobben.

    → *Aber wenn ...*

12. Ich gehe nicht ins Kino, weil ich arbeiten muss.

    → *Aber wenn ...*

13. Sie treibt keinen Sport, weil sie schwanger ist.

    → *Aber wenn ...*

14. Eva kann in den USA studieren, weil sie ein Stipendium bekommt.

    → *Aber wenn ...*

15. Ich besuche dich nicht, weil ich keine Zeit habe.

    → *Aber wenn ...*

9.6 Konzessivsätze

Es regnet. (Ich müsste eigentlich zu Hause bleiben,) *aber* ich gehe spazieren.
Obwohl *es regnet*, gehe ich spazieren.
Er war krank. Er spielte Tennis (, anstatt im Bett zu bleiben).
Er spielte Tennis, **obwohl** *er krank war*.

- Konzessivsätze nennen eine „Gegengrund", d. h. einen Grund, bei dem man eigentlich eine andere Folge erwartet.
- Die Subjunktionen sind „obwohl", „obgleich", „obschon".
- Konzessivsätze können durch nominale Konzessiv-Angaben ersetzt werden:

obwohl es regnet	→	**trotz** *des Regens*
obgleich er krank war	→	**trotz** *seiner Krankheit*
obschon sie fleißig war	→	**trotz** *ihres Fleißes*

138. *Bilden Sie Konzessivsätze!*

1. Der Taxifahrer fuhr vorsichtig. Er hatte (trotzdem) einen Unfall.
   → *Obwohl der Taxifahrer vorsichtig fuhr, hatte er einen Unfall.*
2. Eva hatte mir ihren Besuch angekündigt. Sie kam (aber) nicht.

   →
3. Wir hatten gut trainiert. Wir haben das Fußballspiel (jedoch) nicht gewonnen.

   →
4. Müllers haben nicht viel Geld. Sie leisten sich (aber) ein teures Auto.

   →
5. Die zwei Freunde rannten sehr schnell zum Bahnhof. Sie erreichten den Zug (jedoch) nicht mehr.

   →
6. Fatma war stark erkältet. Sie besuchte (trotzdem) den Deutschkurs.

   →
7. Das Rauchen im Kino ist verboten. Herr Kohl raucht (trotzdem) mehrere Zigaretten.

   →
8. Katja fährt immer sehr schnell. (Aber) sie hat noch keinen Unfall gehabt.

   →
9. Mein Fahrrad ist gestohlen worden. Ich hatte es abgeschlossen.

   →
10. Ich habe viel zu tun. Ich komme (trotzdem) mit euch ins Kino.

    →

139. Bilden Sie Konzessivsätze!

1. Ali lebt schon seit drei Jahren in Deutschland. Er spricht (trotzdem) immer noch schlecht Deutsch.

   →

2. Ich hatte mich gut auf die Prüfung vorbereitet. Ich habe sie (aber) nicht bestanden.

   →

3. Meiers haben eine kleine Wohnung. Sie haben (dennoch) ihren alten Vater bei sich aufgenommen.

   →

4. Ich bemühe mich seit drei Wochen um eine Ferienarbeit. Ich habe (aber) immer noch keine gefunden.

   →

5. Die Reise hatte sehr lange gedauert. Die Kinder waren (dennoch) nicht müde.

   →

6. Herr Suhl verbringt seine Ferien seit vielen Jahren in Frankreich. Er spricht (aber) immer noch kein Französisch.

   →

7. Es gibt schon genügend Straßen. Es werden (aber) immer noch neue gebaut.

   →

8. Die Zahl der Arbeitslosen steigt immer weiter. Die Regierung tut (aber) nichts.

   →

9. *Trotz der Kälte* ging die Frau ohne Mantel spazieren.

   →

10. Ich konnte *trotz langen Suchens* mein Portemonnaie nicht wiederfinden.

    →

11. *Trotz des Protestes der Studenten* musste die Prüfung wiederholt werden.

    →

12. *Trotz des schlechten Wetters* fahren wir zum Picknicken.

    →

13. *Trotz der hohen Preise* gehen viele Leute in dieses Restaurant.

    →

14. *Trotz der Aufmerksamkeit der Eltern* hat sich das kleine Kind verletzt.

    →

9.7 Konsekutivsätze

Sie spricht sehr leise. (Die *Folge* ist, dass man sie nicht verstehen kann.)
    ① Sie spricht sehr leise, ***so dass*** *man sie nicht verstehen kann.*
Er hat die Prüfung nicht geschafft. (*Folglich* muss er sie wiederholen.)
    Er hat die Prüfung nicht geschafft, ***so dass*** *er sie wiederholen muss.*
    ② Sie spricht ***so*** leise, ***dass*** *man sie nicht verstehen kann.*

- – Konsekutivsätze nennen eine Folge.
- – Die Subjunktion ist „so dass". ①
- – Wenn „so" schon im Hauptsatz steht, genügt die Subjunktion „dass". ②

140. *Bilden Sie Konsekutivsätze!*

1. Die Party bei unseren Nachbarn war sehr laut. Wir konnten nicht schlafen.
   → *Die Party bei unseren Nachbarn war sehr laut, so dass wir nicht schlafen konnten.*
   → *Die Party bei unseren Nachbarn war so laut, dass wir nicht schlafen konnten.*
2. Markus ist sehr krank. Er muss zu Hause bleiben.
   →
3. Petra hatte sich gut vorbereitet. Sie konnte die Prüfung problemlos schaffen.
   →
4. Es war gestern sehr kalt. Wir konnten nicht zum Schwimmen gehen.
   →
5. Der Film war langweilig. Ich bin eingeschlafen.
   →
6. Die Miete ist erhöht worden. Wir müssen ausziehen.
   →
7. Die Kanäle sind zugefroren. Der Schiffsverkehr muss eingestellt werden.
   →
8. Es hat lange nicht geregnet. Die Pflanzen sind vertrocknet.
   →
9. Sie hat sich sehr verändert. Ich habe sie nicht wiedererkannt.
   →
10. Die Eingangstür wird jetzt geschlossen. Es kann niemand mehr hereinkommen.
    →
11. Sie hat ihr ganzes Geld ausgegeben. Sie muss einen Kredit aufnehmen.
    →
12. Die Wohnungen in München sind sehr teuer. Wir können nicht nach München ziehen.
    →

9.8 Modalsätze

Wie kann man Petra zum Lachen bringen? (Man erzählt ihr einen Witz.)
    Man kann Petra zum Lachen bringen, *indem man ihr einen Witz erzählt.*
Auf welche Weise kann man ein guter Sportler werden? (Man trainiert täglich.)
    Man kann ein guter Sportler werden, *indem man täglich trainiert.*

- – Modalsätze nennen die Art und Weise eines Vorgangs. Sie antworten auf die
  Frage: Wie? Auf welche Art (und Weise)? Wodurch?
- – Die Subjunktion ist „indem".
- – Modalsätze können durch nominale Modal-Angaben ersetzt werden:
  indem man einen Witz erzählt → ***durch** Erzählen eines Witzes*
  indem man täglich trainiert → ***durch** tägliches Training*
  indem man sparsam lebt → ***durch** sparsames Leben*

141. *Beantworten Sie die Fragen mit einem Modalsatz!*

1. Wie kann man schnell Deutsch lernen? (Man muss täglich viele Stunden üben.)
   → *Man kann schnell Deutsch lernen, indem man täglich viele Stunden übt.*

2. Wie kann man bei Regen trocken bleiben? (Man muss einen Regenschirm mitnehmen.)
   →

3. Wie begrüßen sich zwei Deutsche? (Sie geben sich die Hand.)
   →

4. Wie begrüßen sich zwei Japaner? (Sie verbeugen sich tief.)
   →

5. Wie kann man sein Fahrrad vor Dieben schützen? (Man schließt es ab.)
   →

6. Wie schützen sich Motorradfahrer vor Kopfverletzungen? (Sie tragen einen
   Helm.)
   →

7. Wie kann man eine schlechte Regierung loswerden? (Man muss die Opposition
   wählen.)
   →

8. Wie kann man einsamen Menschen eine Freude machen? (*durch einen Besuch*)
   →

9. Wie vermehren sich Bakterien? (*durch Teilung*)
   →

10. Wie kann man das Unfallrisiko vermindern? (*durch vorsichtiges Verhalten*)
    →

142. Beantworten Sie die Fragen mit einem Satzgefüge! (Die Sätze in Klammern sollen Nebensätze werden.)

1. Warum musste Petra zu Fuß nach Hause gehen? (Sie hatte für den Bus kein Geld mehr.)

   → *Petra musste zu Fuß nach Hause gehen, weil sie für den Bus kein Geld mehr hatte.*

2. Wann kommt die Feuerwehr? (Ein Haus brennt.)

   →

3. Mit welcher Absicht geht Peter ins Café? (Er will sich mit ein paar Freunden treffen.)

   →

4. Weshalb ist Petra so früh nach Hause gegangen? (Sie musste noch arbeiten.)

   →

5. Wann hat Peter das Abitur gemacht? (Er war gerade 19 Jahre alt.)

   →

6. Seit wann wohnt Petra in einem Studentenheim? (Sie studiert in Münster.)

   →

7. Wozu trägt Peter eine Brille? (Er möchte besser aussehen.)

   →

8. Wann begann Petra mit ihrem Studium? (Sie hatte ihr Praktikum beendet.)

   →

9. Weswegen macht Petra ein Praktikum? (Das ist eine Voraussetzung für ihr Studium.)

   →

10. Bis wann wird Petra in Münster bleiben? (Sie macht ihr Examen.)

    →

11. Aus welchem Grund war Peter böse? (Seine Freundin hatte ihn nicht angerufen.)

    →

12. Wie versucht Petra, einen Job zu finden? (Sie ruft täglich beim Arbeitsamt an.)

    →

13. Mit welchem Ergebnis hat Peter fleißig trainiert? (Er hat eine Silbermedaille gewonnen.)

    →

14. Mit welcher Absicht geht Petra in die Stadtbücherei? (Sie will sich einen Reiseführer ausleihen.)

    →

143. Setzen Sie die passenden Subjunktionen ein!

1. Ich bringe mein Fahrrad in den Keller, ___damit___ es nicht gestohlen wird.

2. Es war so dunkel, _____ ich den Weg nicht finden konnte.

3. Ich suche so lange, _____ ich ein günstiges Zimmer gefunden habe.

4. _____ die Ferien beginnen, sind Schüler und Lehrer froh.

5. Ich gehe in die Mensa, _____ essen.

6. Man kann das Radio leiser stellen, _____ man den mittleren Knopf nach links dreht.

7. _____ er einen türkischen Pass hat, spricht er kein Türkisch.

8. Ich frage mich, _____ er mich wirklich verstanden hat.

9. Ich musste zum Telefonieren zur Post gehen, _____ die Telefonzelle vor unserem Haus beschädigt war.

10. _____ ich das Abitur machte, war ich 18 Jahre alt.

11. Ich werde dich besuchen, _____ ich Zeit habe. Es kann nicht mehr lange dauern.

12. Sie hat schon drei Jahre lang Deutsch gelernt, _____ sie die Prüfung eigentlich problemlos bestehen müsste.

13. Er hat sich sehr verändert, _____ er im Ausland lebt.

14. Ich bleibe hier, _____ der Sprachkurs läuft.

15. _____ er lange nicht gekommen ist, vermute ich, _____ er krank ist.

16. _____ man Auto fahren will, braucht man einen Führerschein.

17. _____ man studieren kann, muss man das Abitur machen.

18. Ich habe dir den Reiseführer mitgebracht, _____ du dich informieren kannst.

19. Wir haben lange nichts mehr von ihr gehört, _____ wir das Schlimmste befürchten müssen.

20. Man kann die Farbe flüssiger machen, _____ man Alkohol hinzufügt.

21. _____ Peter geboren wurde, war sein Vater in London.

22. _____ die Straße spiegelglatt war, fuhr er mit hoher Geschwindigkeit.

23. _____ die Lehrerin das Passiv erklärte, malte Igor Kreuzchen aufs Papier.

24. _____ meine Freundin hier studiert, ziehe ich nicht aus dieser Stadt fort.

144. *Formen Sie die kursiv geschriebenen Angaben in Nebensätze um!*

1. *Wegen des starken Regens* mussten die Autos langsamer fahren.

    →

2. *Beim Abschied ihrer Tochter* waren die Eltern sehr traurig.

    →

3. *Trotz seiner Einladung* haben wir ihn nicht besucht.

    →

4. *Seit der Schließung der Grenze* kann man nicht mehr ins Nachbarland reisen.

    →

5. Bitte schließen Sie *vor dem Verlassen des Büros* alle Fenster!

    →

6. Im Sommer stehe ich meistens *bei Sonnenaufgang* auf.

    →

7. *Aus Mitleid* habe ich dem Bettler fünf Mark gegeben.

    →

8. *Nach dem Vorzeigen seines Passes* durfte er die Grenze passieren.

    →

9. *Während des Fernsehens* macht Eva Handarbeiten.

    →

10. *Bis zum Bau einer neuen Schule* müssen die Kinder in die alte gehen.

    →

11. Die Eltern bringen ihr Kind *zur Untersuchung* ins Krankenhaus.

    →

12. *Aufgrund ihrer guten Abiturnoten* erhielt Petra ein Stipendium.

    →

13. *Bei genauer Beachtung der Regeln* macht man wenig Fehler.

    →

14. *Zur Erweiterung meines Wortschatzes* lese ich jeden Tag die Zeitung.

    →

15. *Bei schönem Wetter* gehen wir gerne spazieren.

    →

16. *Durch fleißiges Üben* kann man ein guter Klavierspieler werden.

    →

17. *Vor dem Ausfüllen eines Formulars* sollte man es in Ruhe durchlesen.

    →

145. Setzen Sie passende Subjunktionen ein!

Die Familie Breuer war aufs Land gezogen, _____ Frau Breuer dort ein Haus von einer Großtante geerbt hatte. Im Dorf gab es aber keine Arbeitsmöglichkeit, _____ Herr Breuer täglich in die nächstgelegene Kleinstadt fahren musste, wo er als Angestellter bei der Stadtsparkasse arbeitete. _____ die drei Kinder noch klein waren, wollte Frau Breuer ihren Beruf nicht ausüben, _____ sie sehr gern als Sekretärin gearbeitet hatte, _____ sie verheiratet war. Sie fand, _____ ihr jetzt der Kontakt zu den Kolleginnen fehlte.

Herr Breuer war mit seiner Arbeitsstelle nicht sehr zufrieden, _____ er nicht genug verdiente. _____ er seinen Chef mehrere Male vergeblich wegen einer Gehaltserhöhung angesprochen hatte, beschloss er, seinen Arbeitsplatz zu wechseln. Er las täglich die Stellenanzeigen in der „Rundschau", _____ er ein interessantes Angebot fand. Eine Privatbank suchte einen Kreditsachbearbeiter. _____ er gut arbeiten würde, könnte er nach einem halben Jahr zum Abteilungsleiter befördert werden.

_____ er seiner Frau von seinen Plänen erzählte, war sie überhaupt nicht begeistert, vor allem, _____ sie aus ihrem schönen Haus nicht ausziehen wollte, _____ in einer Mietwohnung in Frankfurt zu leben. Frau Breuer wollte lieber auf dem Land bleiben, _____ Herr Breuer bereit war, nach Frankfurt zu ziehen.

Aber _____ sie umziehen konnten, mussten sie zunächst eine Wohnung finden.

Jetzt leben die Breuers in Frankfurt. Aber _____ sie in einem Hochhaus im Zentrum der Stadt wohnen, kommen die Kinder nur noch selten an die „frische Luft". Der Verkehr im Zentrum ist so stark, _____ Frau Breuer ihre drei Kinder nicht allein auf die Straße gehen lässt. _____ es in fünf Minuten Entfernung von der Wohnung einen Spielplatz gibt, schickt sie ihre Kinder doch nicht dorthin, _____ die kleinen Kinder immer wieder von Fußball spielenden Jugendlichen vertrieben werden. _____ Frau Breuer Zeit hat, fährt sie mit ihren Kindern in den Stadtwald, _____ dort spazieren zu gehen. Aber es dauert mindestens eine halbe Stunde Fahrt, _____ sie dort sind.

10 Satzverbindungen

10.1 Konjunktionen auf Position Null (Ø) zwischen Hauptsätzen

1. Hauptsatz	Konjunktion	2. Hauptsatz

	Ø	I	II ...
Ihr bleibt zu Haus		*und*	wir gehen fort.
Wir können zu Fuß gehen		*oder*	wir könnten ein Taxi nehmen.
Wir wollen ein Taxi nehmen,		*aber*	leider kommt kein Taxi.
Wir gehen nicht zu Fuß,		*sondern*	wir fahren mit dem Bus.
Wir kommen sehr spät zum Bahnhof,		*denn*	der Bus fährt sehr langsam.
Wir rennen auf den Bahnsteig,		*doch*	der Zug ist schon abgefahren.

Die Konjunktionen *und, oder, aber, sondern, denn, doch* stehen am Anfang eines Hauptsatzes auf *Position Ø.*

146. Verbinden Sie die Hauptsätze mit einer passenden Konjunktion!

1. Mein Bruder und ich wollten nicht in Ankara studieren, _sondern_ wir sind nach Deutschland gegangen.

2. Ich studiere in Münster, _____ mein Bruder studiert in Berlin.

3. Meine Schwester ist in Ankara geblieben, _____ meine Eltern wollten sie nicht im Ausland studieren lassen.

4. Ich bin im ersten Semester, _____ mein Bruder ist schon fast fertig.

5. Nach der Diplomprüfung wird mein Bruder vielleicht noch eine Doktorarbeit schreiben, _____ er kehrt sofort in die Türkei zurück.

6. Ich habe ein sehr gutes Abitur gemacht, _____ ich hoffe, auch ein gutes Diplom zu schaffen.

7. Ich muss fleißiger sein als deutsche Studenten, _____ ich habe immer noch Probleme mit der Sprache.

8. Das Praktikum mache ich wahrscheinlich in Münster, _____ ich versuche, eine Praktikantenstelle in Bonn zu finden.

9. Ich will später nicht in die Türkei zurückgehen, _____ ich habe vor, nach Australien auszuwandern.

10. Ich habe viele Pläne, _____ nicht alle Pläne werde ich verwirklichen können.

10.2 Doppelkonjunktionen bzw. mehrteilige Konjunktionen

Entweder du fährst langsamer ⎫
Entweder fährst du langsamer ⎭ *oder* ich leihe dir mein Auto nicht mehr.
In den nächsten Ferien fahre ich *entweder* an die Nordsee *oder* an die Ostsee.
Ich bin *sowohl* in Norwegen *als auch* in Schweden gewesen.
Dieser Computer ist *nicht nur* teuer, *sondern* er funktioniert *auch* nicht gut.
Er geht *weder* zu einem Sprachkurs *noch* zu einem Computer-Kurs.
Dieses Hotel gefällt mir nicht. Es ist *zwar* billig, *aber* viel zu schmutzig.

- Doppelkonjunktionen bzw. mehrteilige Konjunktionen verbinden zwei Haupt-
  sätze oder zwei Satzglieder miteinander.

entweder	–	*oder*
sowohl	–	*als auch*
nicht nur	–	*sondern* (...) *auch*
weder	–	*noch*
zwar	–	*aber*

- Die Stellungsregeln sind kompliziert.

147. *Setzen Sie die passenden mehrteiligen Konjunktionen ein!*

1. Eva hat keine Verständigungsprobleme in der Schweiz. Sie spricht _____
   Deutsch _____ Französisch.

2. Hast du schon eine norddeutsche Hafenstadt besucht? – Nein, ich bin
   _____ in Hamburg _____ in Rostock gewesen.

3. Die Meiers sind reich. Sie besitzen _____ ein Haus in München
   _____ ein Ferienhaus in der Toskana.

4. Es gibt nur zwei Möglichkeiten: _____ du schaffst die Prüfung,
   _____ du musst den Sprachkurs wiederholen.

5. Unserem Nachbarn geht es sehr schlecht. Er ist _____ arbeitslos,
   _____ er hat _____ gesundheitliche Probleme.

6. Du musst dich entscheiden, mein Sohn! _____ du studierst _____
   du lernst ein Handwerk.

7. Eva möchte den Arbeitsplatz wechseln. Sie hat _____ einen gut bezahlen Job, _____ ihr Chef ist „unmöglich".

8. Hast du etwas von deiner Familie gehört? – Leider nicht. _____ meine
   Eltern _____ meine Geschwister haben angerufen.

9. Ich bin an diesem Wochenende zu Hause, _____ am Samstag
   _____ am Sonntag.

10. Am nächsten Wochenende bin ich nicht zu Hause, _____ am Sams-
    tag _____ am Sonntag.

10.3 Satzverbindende Adverbien

Er ist sehr krank.   Er lässt einen Arzt kommen.
Er ist sehr krank; **deshalb** lässt er einen Arzt kommen.
Er ist sehr krank; er lässt **deshalb** einen Arzt kommen.

– Wenn es zwischen zwei Hauptsätzen eine (kausale, temporale o. a.) Beziehung gibt, kann man diese Beziehung mit einem Adverb ausdrücken; dadurch schafft man eine engere Verbindung zwischen den Sätzen.
– Das satzverbindende Adverb steht sehr oft auf Position I.

Liste häufiger satzverbindender Adverbien

temporale Adverbien:
da   Seit drei Stunden wartete er schon; **da** ging das Telefon.
dann   Zuerst wasche ich mich; **dann** putze ich mir die Zähne.
danach   Sie machten einen langen Spaziergang; **danach** waren sie müde.
vorher   Sie gingen ins Kino; **vorher** hatten sie sich Karten besorgt.
dabei   Er schälte Kartoffeln; **dabei** pfiff er ein Lied.

lokale Adverbien:
dort (**da**)   Sie fuhr nach München; **dort** besuchte sie eine Freundin.
hier   Ich wohne in Münster; **hier** gefällt es mir.
dorthin   Wir fahren dieses Jahr nach Rom; **dorthin** sind wir noch nie gefahren.
von dort   Ich bin aus Frankreich zurückgekommen; **von dort** habe ich Wein mitgebracht.

kausale Adverbien:
deshalb / **deswegen**   Es ist sehr dunkel; **deswegen** mache ich das Licht an.
daher   Sie ist krank geworden; sie hat **daher** nicht an der Prüfung teilnehmen können.

finales Adverb:
dafür   Sie möchte Französisch lernen; **dafür** geht sie nach Paris.

konzessive Adverbien:
trotzdem   Es regnet stark; **trotzdem** gehe ich spazieren.
dennoch   Sie hat immer noch kein Zimmer gefunden; **dennoch** gibt sie die Hoffnung nicht auf.

konditionales Adverb:
dann   Sie suchen einen günstigen Gebrauchtwagen? **Dann** rufen Sie uns an!

konsekutives Adverb:
infolgedessen   Es hat seit vielen Wochen nicht geregnet; **infolgedessen** ist das Gras vertrocknet.

modales Adverb:
so   Ich lerne täglich 10 Stunden; **so** kann ich die Prüfung bestehen.

adversatives Adverb:
jedoch   Er wollte um 8 Uhr hier sein; er ist **jedoch** zu spät gekommen.

148. Setzen Sie passende satzverbindende Adverbien ein!
   (Manchmal sind mehrere Lösungen möglich.)

 1. Wir haben uns lange unterhalten. ___*Dann*___ haben wir uns gegen 10 Uhr verabschiedet.

 2. Sie möchten ein komfortables Hotel? _____ empfehle ich Ihnen das „Sheraton"!

 3. Er wusste, dass das Konzert um 20 Uhr beginnen würde. _____ ist er noch um 19.45 Uhr zum Essen gegangen.

 4. Kommen Sie in unser Kaufhaus! _____ können Sie billig einkaufen!

 5. Sie hatte mir ihre Hilfe versprochen. _____ musste ich ganz allein umziehen.

 6. Unterschreiben Sie nie einen Vertrag, den Sie nicht gelesen haben! _____ können Sie sich viel Ärger ersparen.

 7. Hast du den Bericht über Jugoslawien gesehen? _____ kommen nur schlechte Nachrichten.

 8. Eigentlich war das Geschäft schon geschlossen. Der Mann hat mir _____ eine Zeitung verkauft.

 9. Sie möchten ein Zimmer in einem Studentenheim? _____ müssen Sie zum Studentenwerk gehen!

10. Sie hat den Zug verpasst. _____ ist sie zu spät zur Arbeit gekommen.

11. Gehen Sie zu KAROLDIE! _____ finden Sie alles, was Sie brauchen!

12. Ich gehe zum Einkaufen in die Stadt. _____ muss ich noch zur Bank gehen und Geld holen, damit ich alles bezahlen kann.

13. Kennst du Marokko? _____ möchte ich gerne einmal fliegen.

14. Sie wird in Kürze ihr Studium beenden. _____ will sie in den Iran zurückkehren.

15. Am Himmel sind dunkle Wolken. _____ nehmen wir einen Regenschirm mit.

16. Sie kämmte sich die Haare. _____ schaute sie in den Spiegel.

17. Peter verhält sich allen Leuten gegenüber unhöflich. _____ kann man keine Freunde gewinnen.

18. Eva will für das Wochenende einkaufen. _____ geht sie auf den Samstagsmarkt.

19. Wir waren mit dem Auto unterwegs nach Köln. _____ gab es plötzlich einen Knall.

20. Es lagen Nägel auf der Straße. _____ war ein Reifen geplatzt.

149. Konjunktion auf Position Ø oder Adverb auf Position I?
   (*Verbinden Sie die beiden Sätze mit dem angegebenen Wort!*)

1. Ich mache meine Hausaufgaben. Meine Freundin liest ein Buch. (und)
   → *Ich mache meine Hausaufgaben und meine Freundin liest ein Buch.*

2. Wir wollen nachmittags einen Freund besuchen. Wir wollen abends bei mir essen. (danach)
   →

3. Ich könnte in den Ferien eine Reise machen. Ich könnte zu Hause bleiben und arbeiten. (oder)
   →

4. Ich habe bis kurz nach acht auf dich gewartet. Ich bin nach Hause gegangen. (dann)
   →

5. Herr Kim wollte einen Roman von Thomas Mann lesen. Der Roman war zu schwierig für ihn. (aber)
   →

6. Petras Mutter ist erkrankt. Sie ist sofort nach Hause gefahren. (deswegen)
   →

7. Ein Tourist hat den Dom besichtigt. Er hat sich die Ausstellung im Museum angesehen. (außerdem)
   →

8. Inge hat kein eigenes Zimmer. Sie wohnt bei einer Freundin. (sondern)
   →

9. Es ist nicht immer leicht im Ausland zu leben. Viele Menschen arbeiten und studieren in einem fremden Land. (trotzdem)
   →

10. Mein Bruder studiert in Griechenland. Ich studiere in Deutschland. (und)
    →

11. Ich kann in meiner Heimat dieses Fach nicht studieren. Ich studiere in Münster. (deshalb)
    →

12. Sie möchte ein Gedicht von Heine in ihre Muttersprache übersetzen. Es gelingt ihr nicht. (doch)
    →

13. Die Familie ging nicht spazieren. Es regnete zu sehr. (denn)
    →

14. Wir saßen alle beim Abendbrot. Das Telefon ging. (da)
    →

15. Meine Eltern machen einen Camping-Urlaub in Frankreich. Sie verbringen ihre Ferien am liebsten. (so)
    →

11 Attribute

Der *älteste* ▷ Bruder ◁ *meiner Mutter* heißt Georg.
  ‿‿‿‿‿‿‿‿‿   ‿‿‿‿‿‿‿‿‿‿‿‿‿
  Adjektiv-Attribut   *Genitiv-Attribut*

In dem Zimmer ◁ *oben* wohnt eine Studentin ◁ *aus Peru*.
              ‿‿‿‿‿‿‿‿‿   ‿‿‿‿‿‿‿‿‿
            Adverbial-Attribut   *Präpositional-Attribut*

- Attribute sind keine Satzglieder, sondern **Teile von Satzgliedern**.
- Attribute gehören zu einem Bezugswort ; sie bestimmen dieses Bezugswort
  genauer.
- Attribute, die vor ihrem Bezugswort stehen, heißen **Linksattribute**,
  z. B. *Adjektiv-Attribute* (s. S. 61 ff.)
         Partizipial-Attribute (s. S. 67)
- Attribute, die hinter ihrem Bezugswort stehen, heißen **Rechtsattribute**,
  z. B. *Genitiv-Attribute* (s. S. 139)
         Adverbial-Attribute
         Präpositional-Attribute
- Wenn das Bezugswort ein Nomen ist, kann das Attribut mit „*welch-?*" oder
  „*was für ein-?*" erfragt werden.
         (**Welcher** Bruder? – In **welchem** Zimmer? – **Was für eine** Studentin?)

11.1 Genitiv-Attribute

① Dies ist nicht mein Fahrrad, sondern das Fahrrad ◁ *meines Bruders*.
   Sie wohnt im Haus ◁ *ihrer Eltern*.
② Carola ist die Freundin ◁ *Annas*.
         Auch: Carola ist **Annas** ▷ Freundin . (Carola ist die Freundin **von Anna**.)
   Tokio ist die Hauptstadt ◁ *Japans*.
         Auch: Tokio ist **Japans** ▷ Hauptstadt . (Tokio ist die Hauptstadt **von Ja-**
   pan.)

- Genitiv-Attribute stehen normalerweise *rechts* vom Bezugswort. ①
- Wenn das Genitiv-Attribut ein Eigenname ist, kann es auch *links* vom Bezugswort stehen oder durch ein Präpositional-Attribut („von" + Eigenname) ersetzt werden. ②
- Ein Genitiv-Attribut kann mit „*wessen?*" erfragt werden.
         (**Wessen** Fahrrad? – In **wessen** Haus? – **Wessen** Freundin?)

150. Bilden Sie Genitiv-Attribute!

1. Ist das hier dein Kugelschreiber? (Peter!)
 → *Nein, das ist Peters Kugelschreiber.*

2. Sind das hier deine Notizen? (meine Freundin!)

 → *Nein, das sind ...*

3. Ist das hier das Wörterbuch der Lehrerin? (die Studentin!)

 → *Nein, das ist ...*

4. Ist das hier deine Tasche? (ein türkischer Student!)

 → *Nein, das ist ...*

5. Ist das hier deine Brille? (Bettina!)

 → *Nein, das ist ...*

6. Deutschland hat eine Hauptstadt. *Wie heißt ...*

7. Deine Eltern haben ein Haus. *Wo steht ...*

8. Der Soldat trägt eine Uniform. *Wie findest du ...*

9. Marina hat neue CDs. *Wie gefallen dir ...*

10. Der Professor hält eine Vorlesung. *Wie lange dauert ...*

11. Wessen Jacke ist das hier? (der Arzt!)

 → *Das ist ...*

12. Wessen Schuhe sind das hier? (ein Kollege!)

 → *Das sind ...*

13. Wessen Kleid gefällt dir am besten? (Fatma!)

 → *Am besten gefällt mir ...*

14. Mit wessen Hilfe hast du den Text übersetzt? (mein älterer Bruder!)

 → *Ich habe ...*

15. In wessen Ferienhaus habt ihr eure Ferien verbracht? (Manfred!)

 → *Wir haben ...*

11.2 Satzförmige Attribute

Nebensätze, die nicht vom Prädikat im Hauptsatz, sondern von einem **Bezugswort** abhängen, nennt man *Attributsätze*.

Man lachte über Galileis **Behauptung**, *dass sich die Erde um die Sonne dreht.*
                                                                            („dass"-Satz)
Die **Frage**, *ob Männer intelligenter sind als Frauen*, ist sinnlos.   („ob"-Satz)
Otto hat den **Entschluss** gefasst, *Mathematik zu studieren.*   (Infinitivsatz)
Ein **Radfahrer**, *der betrunken war*, ist ins Wasser gefallen.   (Relativsatz)
Das ist ein **Fehler**, *den du immer wieder machst*!   (Relativsatz)

11.3 Relativsätze

Wo ist der Junge?
      Was für ein Junge?
Wo ist der **Junge**, *der mir ein Buch bringen wollte*?

Im Sekretariat sind zwei **Studentinnen**, *die Bescheinigungen haben möchten.*
Gib mir bitte den **Kugelschreiber** wieder, *den ich dir gestern geliehen habe*!
Wer waren die **Leute**, *denen du die Stadt gezeigt hast*?

- – Ein Relativsatz ist ein *Attribut in Nebensatz-Form*, durch das ein **Bezugswort** im Hauptsatz genauer bestimmt wird.
- – Ein Relativsatz ist ein Rechtsattribut; er steht möglichst <u>direkt</u> hinter dem Bezugswort.
- – Ein Relativsatz beginnt mit einem *Relativpronomen*.
- – Die Formen des Relativpronomens sind:

		m	**n**	**f**			
	N	*der*	*das*	*die*		die	
Sg.	A	*den*	*das*	*die*	**Pl.**	die	
	D	*dem*	*dem*	*der*		*denen*	
	G	*dessen*	*dessen*	*deren*		*deren*	

(Die <u>unterstrichenen</u> Formen sind anders als beim bestimmten Artikel)

- – *Genus* (*m/n/f*) und *Numerus* (*Sg./Pl.*) des Relativpronomens werden durch das Bezugswort bestimmt; der *Kasus* (*N/A/D/G*) wird bestimmt von der Rolle des Relativpronomens innerhalb des Relativsatzes.

Beispiele: Der **Mann**, *dem das Haus gehörte*, war schon alt.
            m. Sg.   ↑ D (Dativ-Ergänzung, abhängig vom Prädikat „gehörte")

Dort kommen unsere **Freunde**, *auf die wir seit langem warten.*
            m. Pl.   ↑ A (abhängig von der Präposition „auf")

1. Relativpronomen im Nominativ:

Gib mir bitte den **Kugelschreiber**, *der dort auf dem Tisch liegt*!
Das **Buch**, *das dort liegt*, gib mir bitte auch
und auch noch die **Kassette**, *die daneben liegt*!
„Soll ich dir alle **Sachen** geben, *die auf dem Tisch liegen*?"

151. Ergänzen Sie die Relativpronomen!

1. Wie heißt die Studentin, ___*die*___ neben dir wohnt?

2. Woher kommt der Student, _____ so gut Deutsch spricht?

3. Kennst du die jungen Leute, _____ dort drüben auf der Bank sitzen?

4. Wem gehört das Fahrrad, _____ vor eurer Garage steht?

5. Hast du den Film gesehen, _____ im „Cinema" läuft?

6. Peter wohnt in einem Haus, _____ wunderschön ist.

7. Brasilianer, _____ nach Portugal kommen, haben keine Sprachprobleme.

8. Ich kaufe nur Gemüse, _____ frisch ist.

2. Relativpronomen im Akkusativ:

Der **Kugelschreiber**, *den du mir geschenkt hast*, schreibt sehr gut!
Wo ist das **Buch**, *das ich lesen soll*?
Von wem ist die **Kassette**, *die wir eben gehört haben*? Sie gefällt mir.
Die **Sachen**, *die du suchst*, sind wahrscheinlich noch im Koffer.

152. Ergänzen Sie die Relativpronomen!

1. Hier ist der Text, _____ wir übersetzen sollen.

2. Kannst du mir das Buch ausleihen, _____ wir lesen sollen?

3. Die Regeln, _____ wir lernen sollen, stehen auf der Seite 32.

4. Wo ist der Zeitungsartikel, _____ ich lesen soll?

5. Zeig mir bitte die Übung, _____ ihr machen sollt!

6. Die Aufgabe, _____ der Lehrer gestellt hat, ist sehr schwer.

7. Nenn mir einen Roman, _____ du besonders gern gelesen hast!

8. Wer ist die Frau auf dem Foto, _____ du mir gezeigt hast?

9. Hier sind die Formulare, _____ wir ausfüllen müssen.

10. Der Text, _____ wir heute gelesen haben, war schwer.

3. Relativpronomen im Dativ:

Wo ist der **Mann**, *dem dieses Auto gehört?*
Ida ist ein **Kind**, *dem das Lernen schwer fällt.*
Die **Studentin**, *der du den Koffer getragen hast*, hat ein Paket für dich abgegeben.
Otto ist einer der **Menschen**, *denen man gern zuhört.*

153. *Ergänzen Sie die Relativpronomen!*

1. Wo ist die Frau, _____ diese Tasche gehört?

2. Kennst du das Mädchen, _____ der niedliche Hund gehört?

3. Es gibt viele Menschen, _____ man helfen müsste.

4. Der Mann, _____ ich den Weg gezeigt habe, war ein Ausländer.

5. Die beiden Polen, _____ ich meine Adresse gegeben habe, wollen mich nächstes Jahr besuchen.

6. Wie heißt die Frau, _____ du das Zimmer besorgt hast?

7. Mein Freund, _____ das deutsche Essen nicht schmeckt, kocht sich sein Essen selbst.

8. Mehrere Zuschauer, _____ der Film nicht gefiel, haben das Kino verlassen.

9. Der Tourist, _____ wir den „Kaiserhof" empfohlen haben, ist zufrieden mit dem Hotel.

10. Anna, _____ ich vor einem halben Jahr 200 Mark geliehen habe, hat sich seitdem nicht mehr gemeldet.

11. Ich verwechsle Peter oft mit seinem Bruder, _____ er sehr ähnlich ist.

12. Alle Verwandten und Freunde, _____ es möglich war, sind zu unserer Hochzeit gekommen.

13. Er ist traurig wie ein Kind, _____ man sein liebstes Spielzeug weggenommen hat.

14. Die Insel, _____ das Schiff sich nähert, heißt Sylt.

15. Unsere Freunde, _____ wir unseren Besuch angekündigt hatten, waren enttäuscht, als wir nicht kommen konnten.

4. Relativpronomen mit Präposition:

Der **Student**, *neben* **dem** *ich sitze*, ist Palästinenser.
Das **Studentenheim**, *in* **dem** *Ida wohnt*, liegt am Stadtrand.
Die **Wohnung**, *in* **die** wir einziehen wollen, ist noch nicht fertig.
Endlich kam der **Bus**, *auf* **den** *ich schon eine halbe Stunde gewartet hatte*.
Frau Dr. Schluck und Gerr Dr. Garke sind **Ärzte**, *zu* **denen** *ich Vertrauen habe*.

– Die Präposition steht vor dem Relativpronomen.
– Die Präposition bestimmt den Kasus des Relativpronomens. (s. S. 81)

154. *Ergänzen Sie die Relativpronomen!*

1. Wer war der Mann, mit _____ du so lange gesprochen hast?

2. Das Geschenk, über _____ ich mich am meisten gefreut habe, kam von dir.

3. Morgen ist die Prüfung, für _____ ich seit 6 Monaten gelernt habe.

4. Ich möchte dir meine Geschwister vorstellen, von _____ ich dir oft erzählt habe.

5. Dort drüben ist die Schule, in _____ ich mein Abitur gemacht habe.

6. Wie heißt die Familie, bei _____ du wohnst?

7. Dort kommt ein Taxi, mit _____ Sie nach Hause fahren können.

8. Wir haben eine schöne Wohnung, für _____ wir eine hohe Miete zahlen müssen.

9. Der Stuhl, auf _____ ich sitze, ist nicht sehr bequem.

10. Ich bringe dir einen bequemeren Stuhl, auf _____ du dich setzen kannst.

11. Die Freunde, mit _____ unsere Kinder spielen, wohnen im Haus gegenüber.

12. „Emanzipation" ist ein Thema, über _____ wir oft diskutiert haben.

13. Kennst du die Stadt, in _____ Goethe geboren wurde?

14. Hast du eine Sonnencreme, mit _____ man sich vor Sonnenbrand schützen kann?

15. Leute, auf _____ man angewiesen ist, sollte man freundlich behandeln.

155. Bilden Sie Relativsätze! (Der Satz in Klammern soll immer ein Relativsatz werden.)

1. Das Buch gehört mir. (Das Buch liegt dort auf dem Tisch.)
   →*Das Buch, das dort auf dem Tisch liegt, gehört mir.*

2. Meine Freundin hat sich gefreut. (Ich habe meiner Freundin eine CD geschenkt.)
   →

3. Der Fahrer war betrunken. (Der Fahrer hat den Bus gefahren.)
   →

4. Der Kugelschreiber schreibt sehr gut. (Ich habe ihn gefunden.)
   →

5. Unsere Gäste kommen aus München. (Wir haben für unsere Gäste ein Hotelzimmer reserviert.)
   →

6. Der Roman ist langweilig. (Du hast mich nach dem Roman gefragt.)
   →

7. Hassan fährt mit einem Fahrrad. (Sein Freund hat es ihm geliehen.)
   →

8. Ich schreibe meiner Mutter einen Brief. (Sie macht Urlaub auf Sylt.)
   →

9. Die Leute waren sympathisch. (Ich habe mich mit ihnen im Zug unterhalten.)
   →

10. Kostas ist nach Griechenland zurückgekehrt. (Ihm gefiel das Leben in Deutschland nicht.)
    →

11. Ist das deine Schwester? (Du hast so viel von ihr erzählt.)
    →

12. Unsere Nachbarn haben sich nicht bedankt. (Wir haben ihnen geholfen.)
    →

13. Du hast mir Fotos mitgebracht. (Ich habe mich über die Fotos gefreut.)
    →

14. Die hübsche Frau heißt Katrin. (Ich bin in die Frau verliebt.)
    →

15. Das Mädchen hat sich sehr gefreut. (Ich habe dem Mädchen einen Teddybär geschenkt.)
    →

16. Jetzt kommt endlich das Taxi. (Ich habe lange auf das Taxi gewartet.)
    →

5. Relativpronomen im Genitiv:

Sind Sie der **Mann**, *dessen Auto* vor meiner Garage steht?
Wie heißt das **Land**, *dessen Hauptstadt* Prag ist?
Eine **Familie**, *deren Wagen* eine Panne hatte, saß müde am Straßenrand.
Heute haben wir die **Leute** kennengelernt, *deren Sohn* mit unserem Sohn spielt.

- Das Relativpronomen steht direkt vor dem Nomen, das zu dem Bezugswort im Hauptsatz gehört.
  (das Auto des Mannes, die Hauptstadt des Landes)
- Das Relativpronomen richtet sich in Numerus und Genus nach dem Bezugswort und ist im Kasus unveränderlich.

156. *Ergänzen Sie die Relativpronomen!*

1. Kennst du Herrn Meier, ___dessen___ Tochter vor kurzem promoviert hat?

2. Alle Schüler, _____ Noten zu schlecht sind, müssen die Klasse wiederholen.

3. Man darf nicht mit einem Auto fahren, _____ Bremsen nicht funktionieren.

4. Im Sprachkurs gibt es einige Studenten, _____ Aussprache sehr undeutlich ist.

5. Ruf doch Herrn Schmitz an, _____ Telefonnummer ich dir gegeben habe.

6. Die Studentin, _____ Schrift man so gut lesen kann, stammt aus Polen.

7. Wir fahren mit Familie Meier, _____ Auto größer als unseres ist.

8. Ein Fahrrad, _____ Reifen platt sind, muss geschoben werden.

9. Ich interessiere mich nur für solche Zimmer, _____ Miete ich bezahlen kann.

10. Der Student, _____ Name so lang ist, kommt aus Madagaskar.

11. Ich wohne bei einer Frau, _____ Tochter zurzeit in Amerika ist.

12. Meine Eltern, _____ Rente sehr niedrig ist, werden von mir unterstützt.

6. Relativpronomen im Genitiv + Präposition:

Mein **Freund**, *in dessen Zimmer ich wohne*, macht zurzeit ein Praktikum.
Ich gebe dir ein **Wörterbuch**, *mit dessen Hilfe du den Text übersetzen kannst*.
Die **Lehrerin**, *an deren Aussprache wir uns gewöhnt haben*, verstehen wir gut.
Die **Leute**, *für deren Haus wir uns interessieren*, kommen morgen zu uns.

- Die Präposition steht vor dem Relativpronomen.
- Das Relativpronomen ist im Kasus unveränderlich.
- Die Präposition bestimmt den Kasus des Nomens hinter dem Relativpronomen.
  (mit deren Problemen: mit + Dativ!)

157. Ergänzen Sie die Relativpronomen und – wenn nötig – die Präpositionen!

1. Ich habe einen Schulfreund getroffen, an ___*dessen*___ Namen ich mich aber nicht erinnern konnte.
2. Jeder braucht einmal einen Menschen, auf _____ Hilfe er sich verlassen kann.
3. Die Studentin, nach _____ Adresse ich mich erkundigt habe, studiert nicht mehr hier.
4. Hoffentlich ist unseren Eltern, _____ _____ Anruf wir seit vielen Tagen warten, nichts passiert!
5. Unsere Freunde, _____ _____ Katzen wir uns gekümmert haben, kommen morgen aus dem Urlaub zurück.
6. Ich schreibe an Peter, _____ _____ Geschenk ich mich sehr gefreut habe.
7. Dort drüben sitzt Herr Schmidt, _____ _____ Frau ich eben telefoniert habe.
8. Meine Eltern, _____ _____ Unterstützung ich angewiesen bin, helfen mir gerne.
9. Mein Zimmernachbar, _____ _____ Lärm ich mich beschwert habe, spricht nicht mehr mit mir.
10. Morgen kommt endlich ihr Freund, _____ _____ Besuch sie sich freut.
11. Es gab Protestaktionen gegen die Regierung, _____ _____ Sozialpolitik die Bevölkerung nicht zufrieden war.
12. Jeden Abend besucht sie ihre Schwester, _____ _____ Gesundheit sie sich Sorgen macht.

158. Bilden Sie Relativsätze! (Der Satz in Klammern soll immer ein Relativsatz werden.)

1. Die Studenten müssen einen Sprachkurs besuchen. (Ihre Deutschkenntnisse reichen nicht aus.)
   → *Die Studenten, deren Deutschkenntnisse nicht ausreichen, müssen einen Sprachkurs besuchen.*

2. Mein Onkel unterstützt unsere ganze Familie. (Ich bin mit seiner Hilfe nach Deutschland gekommen.)
   →

3. Wir wohnen bei Meiers. (In ihrem Haus gibt es genügend Platz.)
   →

4. Wie heißt der Student? (Ich kann die Unterschrift des Studenten nicht lesen.)
   →

5. Der Reisende wurde festgenommen. (Die Polizei hat in seinem Koffer Drogen gefunden.)
   →

6. Der Film war sehr interessant. (Der Regisseur des Films ist kaum bekannt.)
   →

7. Der Fremde hat sich bedankt. (Ich habe ihm den Weg gezeigt.)
   →

8. Wie heißt deine Nachbarin? (Du spielst Tennis mit ihr.)
   →

9. Die Studenten haben sich sehr gefreut. (Wir haben ihnen zum Examen gratuliert.)
   →

10. Die Chefin rief die Sekretärin. (Sie wollte ihr einen Brief diktieren.)
    →

11. Die Bank war leider schmutzig. (Ich hatte mich auf die Bank gesetzt.)
    →

12. Man verliert nicht gern Freunde. (Man kennt die Freunde seit langem.)
    →

13. Der Zug war pünktlich. (Mein Freund kam mit dem Zug an.)
    →

14. Wer hat die Leute gesehen? (Dieses Auto gehört ihnen.)
    →

15. Der Mann war wieder hier. (Ich kenne seinen Namen nicht.)
    →

16. Kennst du diese Leute? (Wir sind ihnen gestern schon einmal begegnet.)
    →

17. Der Student hat sich sehr geärgert. (Man hat ihm neulich das Fahrrad gestohlen.)
    →

11.4 Die Apposition

Unsere <u>Nachbarn</u>, *freundliche ältere Leute*, haben uns eingeladen.
Kennst du <u>Herrn Demirel</u>, *den türkischen Konsul*?
Ich bin gestern <u>Herrn Beuers</u>, *meinem Deutschlehrer*, begegnet.
Sie studiert in <u>Göttingen</u>, *einer norddeutschen Universitätsstadt*.
Rabat ist die Hauptstadt <u>Marokkos</u>, *eines nordafrikanischen Staates*.

– Die Apposition ist ein Rechtsattribut in Nominalform.
– Die Apposition steht im gleichen Kasus wie das Bezugswort.
– Präpositionen fallen weg.
– Die Apposition steht zwischen Kommas.

159. Bilden Sie Appositionen!

1. Hier ist Peter.
   → *Hier ist Peter, mein älterer Bruder.*
2. Hast du Peter gesehen?
   →
3. Hast du mit Peter gesprochen?
   →
4. Alle Freunde Peters sind schon bei uns gewesen.
   →

Peter =
mein älterer
Bruder

5. Er lebt in Paris.
   →
6. Paris hat mir gut gefallen.
   →
7. Meine Erinnerungen an Paris sind ganz lebendig.
   →

Paris =
die französische
Hauptstadt

8. Hast du noch nichts von den Azteken gehört?
   →
9. Die Pyramiden der Azteken sind weltberühmt.
   →

die Azteken =
die Ureinwohner
Mexikos

10. Wart ihr schon einmal in Australien?
    →
11. Wie hat dir Australien gefallen?
    →
12. Australien kenne ich überhaupt nicht.
    →
13. Dieses Lammfleisch kommt aus Australien.
    →

Australien =
der fünfte
Kontinent

12 Negation

1. Negation mit „nicht"

① Kennst du den Film?	– *Nein, ich kenne den Film **nicht**.*
② Kann er schwimmen?	– *Nein, er kann **nicht** schwimmen.*
③ Fährt sie nach Hamburg?	– *Nein, sie fährt **nicht** nach Hamburg.*
④ Interessiert ihr euch für Golf?	– *Nein, wir interessieren uns **nicht** für Golf.*
⑤ Machst du diese Arbeit gern?	– *Nein, ich mache diese Arbeit **nicht** gern.*

– Die Negation „**nicht**" verwendet man beim Verb und bei Nomen mit dem bestimmten Artikel.
– Die Negation „**nicht**" steht am Ende des Satzes, ①
  aber vor dem zweiten Prädikatsteil, ②
      vor Direktiv- und Situativ-Ergänzungen, ③
      vor Präpositional-Ergänzungen, ④
      vor Modal-Angaben. ⑤

160. Beantworten Sie die Fragen negativ!

1. Hörst du die Feuerwehr? – *Nein, ich höre die Feuerwehr nicht.*

2. Bezahlt er seiner Tochter die Reise? – *Nein, ...*

3. Hat sie die Strafe bezahlt? – *Nein, ...*

4. Stellt ihr die Stühle auf die Tische? – *Nein, ...*

5. Haben Sie die Fragen verstanden? – *Nein, ...*

6. Arbeitet sie für ihr Studium? – *Nein, ...*

7. Ist er mit dem Zug gekommen? – *Nein, ...*

8. Wohnst du in Köln? – *Nein, ...*

2. Negation mit „kein-"

Hast du *ein* Fahrrad?	– Nein, ich habe **kein** Fahrrad.
Hast du Ø Geld bei dir?	– Nein, ich habe **kein** Geld bei mir.
Isst sie Ø Kartoffeln?	– Nein, sie isst **keine** Kartoffeln.

Bei Nomen mit unbestimmtem oder Ø-Artikel benutzt man den Negativ-Artikel „**kein-**". (s. S. 60)

161. Beantworten Sie die Fragen negativ!

1. Müssen Sie Gebühren bezahlen? – *Nein, ich muss keine Gebühren bezahlen.*

2. Kauft sie sich heute einen Mantel? – *Nein, ...*

3. Habt ihr Angst? – *Nein, ...*

4. Brauchst du Hilfe? – *Nein, ...*

5. Hast du Probleme? – *Nein, ...*

3. Negation mit „noch nicht", „noch kein-" und „nicht mehr", „kein- ... mehr"

Bist du *schon* fertig?   – *Nein, ich bin **noch nicht** fertig.*
Hast du *schon einen* Studienplatz?   – *Nein, ich habe **noch keinen** Studienplatz.*
Habt ihr *schon* Ø Kinder?   – *Nein, wir haben **noch keine** Kinder.*
Bist du *noch* müde?   – *Nein, ich bin **nicht mehr** müde.*
Benutzt ihr *noch einen* Kohleofen? – *Nein, wir benutzen **keinen** Kohleofen **mehr**.*
Hast du *noch* Geld?   – *Nein, ich habe **kein** Geld **mehr**.*

> – Die Negation für *schon/schon ein-* ist ***noch nicht / noch kein-**.*
> – Die Negation für *noch/noch ein-* ist ***nicht mehr / kein- ... mehr**.*

162. *Beantworten Sie die Fragen negativ!*
1. Hast du die Zeitung schon gelesen? – *Nein, ich habe sie noch nicht gelesen.*

2. Hat er schon einen Job gefunden? – *Nein, ...*

3. Hast du noch Kopfschmerzen? – *Nein, ...*

4. Ist es schon 10 Uhr? – *Nein, ...*

5. Habt ihr noch Hunger? – *Nein, ...*

6. Habt ihr die Aufgaben schon gelöst? – *Nein, ...*

7. Haben die Kinder schon Interesse an Jazz? – *Nein, ...*

8. Ist Erik schon verheiratet? – *Nein, ...*

9. Leben seine Großeltern noch? – *Nein, ...*

4. Negation mit „weder ... noch"

Sie versteht ***weder*** Deutsch ***noch*** Englisch.
Sie besucht ***weder*** einen Sprachkurs ***noch*** lernt sie privat die Sprache.

> Die Doppelnegation *„**weder ... noch**"* negiert zwei parallele Satzglieder oder Sätze.

163. *Verneinen Sie beides!*
1. Hat Christa Italienisch und Spanisch gelernt?
   → *Sie hat weder Italienisch noch Spanisch gelernt.*
2. Ist er groß und schlank?
   →
3. Hast du Durst und möchtest du etwas trinken?
   →
4. Bist du in Marokko und Tunesien gewesen?
   →
5. Besitzt Maria ein Fahrrad und ein Motorrad?
   →

5. Besondere Negationswörter

Hast du *etwas* verstanden?	– Nein, ich habe **nichts** verstanden.
Kann dir *jemand* helfen?	– Nein, **niemand** kann mir helfen.
Gibt es hier *irgendwo* ein Café?	– Nein, hier gibt es **nirgendwo / nirgends** ein Café.
Siehst du *manchmal* fern?	– Nein, ich sehe **nie(mals)** fern.

Für bestimmte Ausdrücke gibt es eigene Negationswörter:

etwas / alles	**nichts**
jemand	**niemand**
irgendwo / überall	**nirgendwo / nirgends**
manchmal / oft / immer	**nie / niemals**

164. Beantworten Sie die Fragen negativ!

1. Geht ihr oft ins Schwimmbad? – *Nein, wir gehen nie ins Schwimmbad.*

2. War heute jemand hier? – *Nein, ...*

3. Fehlt dir etwas? – *Nein, ...*

4. Hat schon jemand bezahlt? – *Nein, ...*

5. Lest ihr manchmal die BILD-Zeitung? – *Nein, ...*

6. Haben Sie schon einmal im Lotto gewonnen? – *Nein, ...*

7. War jemand an der Tür? – *Nein, ...*

8. Gibt es hier irgendwo ein preiswertes Hotel? – *Nein, ...*

9. Waren Sie schon oft in Rio? – *Nein, ...*

10. Gibt es etwas Neues? – *Nein, ...*

11. Hast du irgendwo Bekannte getroffen? – *Nein, ...*

12. Hast du mit jemand(em) gesprochen? – *Nein, ...*

13. Hat Eva etwas von ihren Eltern erzählt? – *Nein, ...*

14. Wird Peter die Prüfung irgendwann einmal schaffen? – *Nein, ...*

15. Gibt es irgendwo auf der Welt lebende Dinosaurier? – *Nein, ...*

6. Die Beantwortung von negativen Fragen

Brauchen Sie den Schlüssel *nicht*?

① **Nein**, *ich brauche ihn* **nicht**.
② **Doch**, *ich brauche ihn*.

Haben Sie *keine* Zeit *mehr*?

① **Nein**, *ich habe* **keine** *Zeit* **mehr**.
② **Doch**, *ich habe noch Zeit*.

- Negative Fragen werden *negativ* beantwortet mit „**Nein**" und <u>mit</u> Negations-wörtern. ①
- Negative Fragen werden *positiv* beantwortet mit „**Doch**" und <u>ohne</u> Negations-wörter. ②
- Faustregel: NEIN bleibt NEIN!

165. *Beantworten Sie die Fragen negativ und positiv!*

1. Waren Sie noch nie in Berlin?
   ① *Nein, ich war noch nie in Berlin.*
   ② *Doch, ich war schon einmal in Berlin.*
2. Schläft das Kind noch nicht?
   ① *Nein, ...*
   ② *Doch, ...*
3. Ist das nicht Ihre Grammatik?
   ① *Nein, ...*
   ② *Doch, ...*
4. Hoffentlich sind Sie nicht verletzt!(?)
   ① *Nein, ...*
   ② *Doch, ...*
5. Möchten Sie nicht noch eine Tasse Kaffee?
   ① *Nein, ...*
   ② *Doch, ...*
6. Sind Sie noch nicht fertig?
   ① *Nein, ...*
   ② *Doch, ...*
7. Bist du nicht mehr müde?
   ① *Nein, ...*
   ② *Doch, ...*
8. Kennst du niemand(en) in Paris?
   ① *Nein, ...*
   ② *Doch, ...*
9. Möchtest du nichts mehr essen?
   ① *Nein, ...*
   ② *Doch, ...*

13 Der Gebrauch des Artikels

13.1 Der unbestimmte Artikel

Ein japanischer Tourist kommt in eine norddeutsche Kleinstadt. Er will in einem Hotel übernachten und fragt einen jungen Mann nach einem guten Hotel ...

- Der **unbestimmte Artikel** steht vor Nomen im Singular, die einzelne Personen oder Sachen bezeichnen, die (noch) *unbekannt* und *nicht eindeutig bestimmt* sind.
- In einem Text werden daher die (noch) unbekannten Personen und Sachen am Anfang mit dem unbestimmten Artikel eingeführt.

13.2 Der bestimmte Artikel

① Der junge Mann sagt zu dem Japaner: „Es gibt hier in der Stadt mehrere gute Hotels ...“
② „Es gibt ein sehr gemütliches Hotel im Zentrum der Stadt, direkt gegenüber dem Bahnhof ...“
③ „Zur Nordsee sind es von dort nur 15 Minuten. An der Nordsee ist es wunderschön, besonders wenn die Sonne scheint ...“
④ Hafenstädte liegen am Meer.
Der Delphin ist ein Säugetier, das im Meer lebt.

Der **bestimmte Artikel wird** benutzt, wenn die Personen oder Sachen *eindeutig bestimmt* bzw. *bekannt* sind:
① Im *vorausgehenden Text* werden Personen und Sachen bekannt gemacht.
② *Die Situation (der „Kontext“)* bestimmt die Dinge eindeutig. (Die norddeutsche Kleinstadt hat nur ein Zentrum und einen Bahnhof!)
③ Etwas ist *allgemein bekannt* oder *einmalig*. (z. B. die Nordsee, die Sonne ...)
④ Es liegt eine *Generalisierung* vor, d. h. das Nomen bezieht sich auf *alle* Dinge mit dieser Bezeichnung.

166. Setzen Sie die passenden Artikel ein!

Ein Rabe saß auf _____ Baum und hatte _____ Stück Käse in _____ Schnabel. Unter _____ Baum saß _____ Fuchs, der sich sehr für _____ Käse interessierte. Er sagte zu _____ Raben: „Man hat mir erzählt, dass du _____ sehr schöne Stimme hast. Ich würde _____ Stimme gern einmal hören. Bitte sing mir _____ Lied!“ _____ Rabe fühlte sich geschmeichelt und fing an, _____ Lied zu singen. Dabei fiel ihm aber _____ Stück Käse aus _____ Schnabel. _____ Fuchs fing _____ Käse auf, verspeiste ihn und verschwand im Wald.

13.3 Der Ø-Artikel

Wenn Nomen im Satz ohne Artikel stehen, spricht man vom „Ø-Artikel" oder von der „Nullform des Artikels".

Der *Ø-Artikel* wird verwendet:

1. als Pluralform des unbestimmten Artikels:
   Hast du Brüder? (Hast du einen Bruder?)
   Sind Müllers Bekannte von euch? (Ist Herr Müller ein Bekannter von euch?)

2. bei Stoffnamen:
   Isst du gern Schwarzbrot? – Der Ring ist aus Gold.

3. bei Nomen mit abstrakter Bedeutung:
   Ich habe Angst. – Lass dir Zeit!

4. bei Personennamen:
   Wann kommt Otto? – Kennst du Maria Möller?

5. bei Länder- und Städtenamen, wenn sie Neutrum Singular sind*:
   Er kommt aus Polen. – Er lebt jetzt in Münster.
   *Wir fahren **nach** Frankreich und dann **in** die Schweiz.*
   <u>Nicht Neutrum:</u>   die Bundesrepublik, die Schweiz, die Türkei, der Iran,
   <u>Nicht Singular:</u>   die Vereinigten Staaten, die Niederlande usw.

6. bei einigen Gruppennamen (Nationalität, Beruf, Religion o. ä.)*:
   Frau Kim ist Koreanerin. – Leyla will Ärztin werden. – Pablo ist Christ.

7. bei Sprichwörtern, Zwillingsformeln und Reihungen:
   Ende gut, alles gut. – Kommt Zeit, kommt Rat.
   Er hat Frau und Kind verlassen.
   Otto hat eine Weltreise mit Fahrrad, Schiff und Eisenbahn gemacht.

8. in Schlagzeilen der Medien und Anzeigen:
   Alter Mann von jungem Hund gebissen
   Gebrauchte Waschmaschine an junges Paar abzugeben

167. Setzen Sie die passenden Artikel ein!

1. Der junge Mann zeigte __*dem*__ Japaner den Weg zu*m*__ Bahnhof.

2. Otto hat _____ Katze. _____ Katze ist noch jung.

3. Braucht Ihr Auto _____ Benzin oder _____ Dieselöl?

4. Heute Nacht hatte ich _____ Traum. Soll ich ihn dir erzählen?

5. Ein Märchen beginnt: Es war einmal _____ König. Er lebte in _____
   großen Schloss. _____ König hatte _____ wunderschöne Tochter …

6. Peter schreibt mit _____ linken Hand; er ist _____ Linkshänder.

7. _____ Alpen sind _____ europäisches Gebirge.

---

* Wenn diese Namen ein Attribut haben, benutzt man den bestimmten bzw. den unbestimmten Artikel.
  Zu 5.: Er kommt aus <u>dem</u> östlichen Polen. Er lebt <u>im</u> schönen Münster.
  Zu 6.: Frau Kim ist <u>eine</u> fleißige Koreanerin. Herr Mai ist <u>ein</u> typischer Beamter.

8. Hector ist _____ sympathischer Brasilianer. Sein Freund Erique ist auch _____ Brasilianer.

9. Zu_____ Atmen brauchen wir _____ Sauerstoff.

10. Hast du _____ Streichhölzer? Ich möchte mir _____ Zigarette anzünden.

11. Ich habe keine Streichhölzer. Ich bin _____ Nichtraucher.

12. Über mir wohnt _____ Deniz Aykut.

13. Meine Eltern wohnen in _____ vorderen Teil und meine Großeltern wohnen in _____ hinteren Teil der Wohnung.

14. Wenn man aus _____ Polen in _____ Bundesrepublik Deutschland einreist, werden _____ Pässe an _____ Grenze kontrolliert.

15. Ich möchte heute Abend mit dir in_____ Kino gehen. Hast du _____ Zeit und _____ Lust?

168. Erzählen Sie die kleine Bildergeschichte jemandem, der sie noch nicht kennt, am Telefon. Achten Sie auf die richtigen Artikelformen!

Die Geschichte spielt in _____ Zoo. _____ Elefant hat _____ Mädchen _____ Puppe weggenommen. _____ Mädchen weint; es bittet _____ Polizisten um Hilfe. _____ Polizist nimmt _____ Elefanten _____ Puppe weg. _____ Mädchen schaut _____ Polizisten dabei zu. _____ Polizist setzt sich auf _____ Rand _____ Elefantengeheges und gibt _____ Mädchen _____ Puppe. Darüber freut sich _____ Mädchen; es läuft mit _____ Puppe weg. Aber _____ Elefant stiehlt _____ Polizisten _____ Dienstmütze von _____ Kopf, setzt sie sich auf und geht zufrieden weg. _____ Polizist ist sprachlos.

Satzglieder

Wir unterscheiden drei Arten von Satzgliedern.

1. Das Prädikat

Wir **spielen**;　　　wer **hat gewonnen**?　　　Das Spiel **ist aus**.

> Jeder Satz hat ein **Prädikat**.
> Zum Prädikat gehört immer mindestens *eine* Verbform.
> Die anderen Satzglieder hängen vom Prädikat des Satzes ab.

2. Ergänzungen

$$\textbf{Wir} \qquad gehen \quad \begin{cases} \textbf{\textit{zur Vorlesung.}} \\ \textbf{\textit{in die Mensa.}} \\ \textbf{\textit{nach Hause.}} \end{cases}$$

Nominativ-Ergänzung　　　　　Direktiv-Ergänzung

> Das Prädikat verlangt bestimmte „Begleiter" im Satz.
> Diese durch das Verb bestimmten Begleiter nennt man **Ergänzungen**.
> Zum Beispiel verlangt das Verb „gehen" – wie fast jedes deutsche Verb im Aktivsatz – eine
> **Nominativ-Ergänzung** (= ein **Subjekt**) und außerdem eine **Direktiv-Ergänzung**, das ist
> ein Satzglied, das auf die Frage **„Wohin"** antwortet.

Andere Verben verlangen zum Teil andere Ergänzungen:

Das Mädchen　gab　**seinem Freund**　　　**einen Kuss**.
　Subjekt　　　　　Dativ-Ergänzung　Akkusativ-Ergänzung
（Wer? / Was?)　　　　(Wem?)　　　　(Wen? / Was?)

Habt　**ihr**　　　**auf mich**　　　*gewartet?*
　　Subjekt　Präpositional-Ergänzung
　(Wer? / Was?)　(Auf wen? / Worauf?)

> Es gibt neun verschiedene Arten von Ergänzungen; die häufigsten sind Nominativ-, Akkusa-
> tiv-, Dativ-, Präpositional-, Situativ- und Direktiv-Ergänzung. Oft kann man Ergänzungen
> weglassen, ohne dass die Sätze grammatisch falsch werden:

Schreibst du (einen Brief)? – Nein, ich lese (die Zeitung).

Nebensätze als Ergänzungen: s. Ergänzungssätze.

3. Angaben

*Wir gehen **jeden Tag** zur Vorlesung.* (Temporal-Angabe)
*Das Mädchen gab ihm einen Kuss **auf die Wange**.* (Lokal-Angabe)
*Warum habt ihr **nicht** auf mich gewartet?* (Negations-Angabe)

> Angaben werden nicht durch das Verb bestimmt. Es sind *freie* Satzglieder, die man in jeden
> Satz einsetzen kann, wenn es die Bedeutung erlaubt.
> Angaben kann man immer weglassen, ohne dass der Satz grammatisch falsch wird.
> Es gibt viele verschiedene Arten von Angaben, z. B.
> Temporal-, Kausal-, Final-, Konditional-, Modal, Konzessiv-, Negations-… Angaben.

Nebensätze als Angaben: s. Angabesätze. (Attribute s. S. 139)

Stammformen „starker" und unregelmäßiger Verben

Infinitiv	3. P. Präs.	Präteritum		Partizip II	Übersetzung in die Muttersprache
befehlen	(befiehlt)	befahl		befohlen	....
beginnen		begann		begonnen	....
beißen		biss		gebissen	....
betrügen		betrog		betrogen	....
biegen		bog	hat/ist	gebogen	....
bieten		bot		geboten	....
binden		band		gebunden	....
bitten		bat		gebeten	....
blasen	(bläst)	blies		geblasen	....
bleiben		blieb	ist	geblieben	....
braten	(brät)	briet		gebraten	....
brechen	(bricht)	brach	hat / ist	gebrochen	....
brennen		brannte		gebrannt	....
bringen		brachte		gebracht	....
denken		dachte		gedacht	....
(ein)dringen		drang (... ein)	ist	(ein)gedrungen	....
empfehlen	(empfiehlt)	empfahl		empfohlen	....
entscheiden		entschied		entschieden	....
essen	(isst)	aß		gegessen	....
fahren	(fährt)	fuhr	hat / ist	gefahren	....
fallen	(fällt)	fiel	ist	gefallen	....
fangen	(fängt)	fing		gefangen	....
finden		fand		gefunden	....
fliegen		flog	hat / ist	geflogen	....
fliehen		floh	ist	geflohen	....
fließen		floss	ist	geflossen	....
(ge)frieren		(ge)fror	hat / ist	gefroren	....
geben	(gibt)	gab		gegeben	....
gehen		ging	ist	gegangen	....
gelingen		gelang	ist	gelungen	....
gelten	(gilt)	galt		gegolten	....
genießen		genoss		genossen	....
geschehen	(geschieht)	geschah	ist	geschehen	....
gewinnen		gewann		gewonnen	....
gießen		goss		gegossen	....
(ver)gleichen		(ver)glich		(ver)glichen	....